Gwnewch Hyn

Cyfres o Fyfyrdodau ar Sacrament y Cymun

GAN
Beti-Wyn James

CYHOEDDIADAU'R
GAIR

Eto af i'th wyddfod Di, heb y byd,
at y bwrdd yn weddi;
rho rym dy fara imi
a'th win yn fy nyddgwaith i.
Mari Lisa

Cyflwynedig
i'm rhieni
Mary a Walford Davies

ⓑ Cyhoeddiadau'r Gair 2016
Testun gwreiddiol: Beti-Wyn James
Golygydd Iaith: R. Alun Charles
Golygydd Cyffredinol: Aled Davies
Llun y Clawr: Arfon John
Clawr: Rhys Llwyd
Diolch i Gymdeithas y Beibl am bob cydweithrediad
wrth ddyfynnu o'r Beibl Cymraeg Newydd.
Argraffwyd oddi fewn i'r Undeb Ewropeaidd.

Dymuna'r cyhoeddwyr gydnabod cymorth
Adran Grantiau Cyngor Llyfrau Cymru.

Cyhoeddwyd gan
Cyhoeddiadau'r Gair, Cyngor Ysgolion Sul Cymru,
Ael y Bryn, Chwilog, Pwllheli, Gwynedd LL53 6SH.
www.ysgolsul.com

CYNNWYS

CYFLWYNIAD

Un o gyfrolau gorau John A. T. Robinson, esgob dadleuol Woolwich a chyn Ddeon Coleg Clare, Caergrawnt, oedd *Liturgy Coming to Life* (Llundain 1960). Ynddi, cofnodir arbrawf diddorol pan oedd yr awdur yn arwain addoliad a bywyd ysbrydol myfyrwyr Coleg Clare ac yn ceisio gwireddu ystyr y gair "litwrgi" yn y gymuned honno. Cyfuniad yw'r gair o ddau air Groeg (*laos* = pobl, *ergon* = gwaith) sy'n golygu "gwaith y bobl". Ceisiodd ofyn ym mha ffordd mae'r sacramentau yn ei gyfundrefn Anglicanaidd ef yn wir yn "waith y bobl". Daeth i'r casgliad bod pob ymgais i ddiwygio'r litwrgi yn yr ugeinfed ganrif wedi ei wneud gan bwyllgorau o arbenigwyr allan o bob cysylltiad â'r bobl a'u bywyd bob dydd. Felly, aeth ati i geisio gwreiddio'r sacramentau ym mywydau ei fyfyrwyr. Ffrwyth yr arbrawf hwnnw oedd y gyfrol fach hon.

Yn arwyddocaol, daeth i weld hefyd y cyswllt hanfodol rhwng litwrgi ac efengylu. "Yet here was one faced with the question, How was the local Church ... to become effective as *the witnessing Community,* as the embodiment of the Gospel in action, placarding by its very being and structure the new life by which it lived?" I ni, fel cynulleidfaolwyr, dylai casgliad o'r fath fod yn fater o lawenydd. Ond ofnaf ein bod ninnau yr un mor euog â'r traddodiadau eglwysig eraill o godi muriau oddi amgylch Bwrdd yr Arglwydd, a'n bod trwy hynny yn colli golwg ar yr egni a'r grym cenhadol sydd yn neges y sacramentau. Credai ein hathro Testament Newydd ym Mangor, yr annwyl Isaac Thomas, mai gwir bwysigrwydd y gwasanaeth Cymun a'r gwasanaeth Bedydd oedd bod yn gyfrwng i'r eglwys gyflawni ei chenhadaeth yn y byd. Calon y genhadaeth honno yw neges y groes. A dyfynnu eto o eiriau Robinson, "...at the heart of everything the Lord's death is proclaimed till he comes and the powers of the new age are released into this old order of sin, decay and death. It is in the Holy Communion supremely that the Gospel is shown forth: liturgy is the heart of evangelism."

Cyflwyno'r litwrgi hwnnw fel drama bywyd yw amcan Robinson yn ei gyfrol, a dyma yw amcan y gyfrol hon gan y Parchedig Beti-Wyn James. Am hynny, mae i'w chroesawu yn fawr iawn. Yn y myfyrdodau hyn

4

fe'n harweinir trwy ddrama fawr yr iachawdwriaeth a bortreadwyd mor drawiadol gan ein Gwaredwr ei hun y noson fythgofiadwy honno yn yr oruwchystafell, gan ei gwreiddio ym mhrofiad bob dydd ein pobl. Dathliad y gymuned Gristnogol sy'n tarddu o groes ein Harglwydd yw hwn yn anad dim arall. Yn yr Eglwys Fore, nid offeiriad neu esgob neu henuriad oedd yn dathlu wrth y bwrdd hwn ond y Llywydd. Traddodiad yr Oesoedd Canol a fynnodd ei wneud yn waith i glerigwyr yn unig.

Dylem weld y gwasanaeth wrth Fwrdd yr Arglwydd fel dathliad holl Gorff Crist ac nid fel gweithred gan offeiriad *dros* y bobl. Dyma'r Eglwys, fel Pobl Crist, yn cyfarfod ei Harglwydd byw ac yn cael ei hailgreu o'r newydd fel ei Gorff ef yn y byd. Awn gyda'r Iesu at y Bwrdd a gwelwn ef yn Torri'r Bara, yn Bendithio, yn Rhannu, yn Cymryd y Cwpan, ac yn y blaen. Dyma ddrama fawr ein hiachawdwriaeth yn cael ei phortreadu o flaen ein llygaid – Crist yn cymodi'r byd ag ef ei hun. Y neges honno yw egni a grym cenhadaeth yr Eglwys yn y byd.

Am mai neges fawr y groes yw calon y weithred, nid oes dathlu priodol wrth y Bwrdd heb yn gyntaf agor a phregethu'r Gair. Pregethau cyn cymuno yw cynnwys y gyfrol hon. Gwnaeth Beti-Wyn gymwynas fawr â ni yn paratoi'r gyfres hon o fyfyrdodau, a gobeithio y bydd eglwysi yn eu defnyddio yn hytrach na mynd fisoedd lawer heb gydymgynnull wrth Fwrdd yr Arglwydd oherwydd na sicrhawyd gwasanaeth gweinidog.

Euros W Jones,
Coleg yr Annibynwyr

RHAGAIR

Dros gyfnod o ddeunaw mis, cefais y fraint fawr o fod yn un ymhlith criw bychan o Weinidogion yr Annibynwyr a'r Bedyddwyr a ffurfiwyd yn weithgor er mwyn wynebu'r dasg o lunio Llyfr Gwasanaeth newydd ar gyfer defnydd y sawl a fyddai'n arwain oedfaon yn ein Capeli.

Bu'r cyfnod y buom yn cwrdd yn gyson i baratoi'r gyfrol yn un prysur ond bendithiol tu hwnt. Yn ein hymdrech fawr i lunio'r Llyfr Gwasanaeth, roeddem yn ymwybodol ein bod, o bosib, oherwydd prinder gweinidogion ordeiniedig, yn anelu'r gyfrol nid yn unig at y gweinidogion ond hefyd, heddiw yn fwy nag erioed, at ddefnydd lleygwyr ac arweinwyr da a ffyddlon yn ein heglwysi.

Bûm yn meddwl ar y pryd onid gwych o beth fyddai pe bai gennym gyfrol o fyfyrdodau i gydredeg â'r Llyfr Gwasanaeth er mwyn darparu deunydd ar gyfer oedfaon Cymun cyflawn. Mae ein traddodiad bob amser wedi rhoi pwyslais ar rannu'r Gair cyn rhannu'r Bara a'r Gwin. Dyma fynd ati felly, gyda chydsyniad a chefnogaeth lwyr Y Parchg Aled Davies o Gyhoeddiadau'r Gair, i lunio'r gyfrol hon.

Dymunaf ddiolch i Aled Davies am ei arweinaid; i Alun Charles am fwrw golwg dros y proflenni, i'r Parchg Euros Wyn Jones am ei awgrymiadau adeiladol ac am lunio gair o gyflwyniad; i Mari Lisa am yr englyn hyfryd ac i Arfon John am y llun ar y clawr. Diolch hefyd i'r teulu am bob cefnogaeth ac am eu hamynedd arferol gyda fi!

Fy ngweddi a'm gobaith yw y bydd y sawl sy'n arwain addoliad yn gweld rhywbeth yn y gyfrol hon a fydd, o bosib, yn medru eu cynorthwyo wrth baratoi ar gyfer y Sul.

Bydded i'r adnodd hwn, ynghyd â'r doniau a roddwyd gan Dduw i arweinwyr yr eglwysi, fod yn gyfrwng bendith i'n cynulleidfaoedd ac yn glod i Dduw.

Beti-Wyn James
Ionawr 2016

Drama'r Cymun

Gosod y llwyfan

'Gwnewch hyn...' *1 Corinthiaid 11:24*

Pam ydym ni fel cynulleidfa yn y Capel hwn, ynghyd â'r mwyafrif o gynulleidfaoedd eraill, ar hyd a lled ein gwlad, yn cynnal oedfa Gymun yn weddol gyson, unwaith y mis? Yr ateb yw oherwydd bod yr Arglwydd Iesu Grist wedi'i orchymyn. Nid oherwydd bod ein cyndadau, na chwaith fod rhyw gorff eglwysig wedi penderfynu y byddai'n beth da i gynulleidfaoedd Crist gwrdd â'i gilydd i rannu a chymryd y bara a'r gwin, ond oherwydd bod Iesu wedi'i orchymyn.

Mae'r Cymun yn ymestyn yn ôl dros ugain canrif i'r Oruwchystafell honno yn Jerwsalem pan gymerodd Iesu, y nos y cafodd ei fradychu, fara, ac wedi iddo ddiolch amdano, aeth ati i'w dorri a dweud *'hwn yw fy nghorff sydd er eich mwyn chwi. Gwnewch hyn er cof amdanaf.'* Yn yr *un modd hefyd fe gymerodd y cwpan, ar ôl swper, gan ddweud, y cwpan hwn yw'r cyfamod newydd yn fy ngwaed. Gwnewch hyn, er cof amdanaf'* (1 Corinthiaid 11:24).

Drama
Mae'r Cymun, felly, yn rhywbeth sy'n cael ei wneud gennym, mae'n 'weithred', neu i ddefnyddio ffigwr sydd yn fwy cyfarwydd i ni, mae'r Cymundeb yn ddrama. Mae'r gair *'drama'* yn tarddu o air Groeg sy'n golygu *'rhywbeth wedi'i wneud'*, ac i ni, fel Cristnogion, dyma'r ddrama fwyaf a wnaed erioed; drama a gafodd ei disgrifio gan un fel *Command Performance* Iesu Grist. Crist sydd yn gorchymyn *'gwnewch hyn'*.

Amcan a phwrpas
Mae yna actorion ym mhob drama, ac mae yna amcan a phwrpas i bob drama. Rydym ni i gyd yn actorion yn nrama fawr Y Cymun. Nid gweithred sy'n cael ei gwneud trosom yw'r Cymun, na chwaith yn ein lle, ond yn hytrach weithred a wnawn gyda'n gilydd. Sylwch ar orchymyn Iesu *'gwnewch hyn'*, ac nid *'gwna hyn'*. Mae'r ferf yn y lluosog –

7

gwnewch. Nid gweithred breifat rhyngof i (neu rhyngot ti) a Duw yw'r Cymun, ond gweithred a wnawn gyda'n gilydd. Gallwn ganu ar ein pennau'n hunain, a gallwn weddïo ar ein pennau'n hunain, ond rhannu'r bara a'r gwin gyda'n gilydd a wnawn, yn un corff, Cymuno gyda'n gilydd a chyfranogi gyda'n gilydd ym mywyd aberthol Crist. Mae'r Apostol Paul yn ei adroddiad ar y Swper, yr adroddiad cynharaf o'r adroddiadau i gyd yn ôl y dystiolaeth, yn dweud *'Pan fyddwch'* ac nid *'pan fyddi'* yn *'ymgynnull i fwyta'* (1 Corinthiaid 11:33).

Mae hyn yn golygu bod angen i ni ddod at ein gilydd, fel actorion, yn gorfforol i Gymuno, ac wrth gwrs, i bob oedfa. Meddyliwch pe bai un neu ddau o'r actorion mewn drama'n penderfynu cymryd noson rydd ac aros gartref ar y noson y llwyfennir y ddrama. Ni fyddai drama wedyn. Treuni mawr mai cadw draw oddi wrth *command performance* Crist yw dewis nifer fawr o bobl heddiw. Wedi dweud hynny, gwyddom yn dda na all nifer o'n cydaelodau ddod i oedfa Gymun, nac i unrhyw oedfa arall oherwydd afiechyd, blinder a llesgedd ac ymrwymiadau teuluol. Er eu bod yn absennol o ran corff, maent yn bresennol gyda ni o ran yr ysbryd, ac fe weddïwn i fendith yr oedfa hon eu cyrraedd a bod yn gysur iddynt.

Cast a phrif gymeriad

Prin y byddwn ni yn yr oes dechnolegol hon yn agor y Llyfr Ffôn! Haws o lawer yw byseddu sgriniau ein ffonau symudol i ddod o hyd i rif, ond wrth fyseddu tudalennau'r Llyfr Ffôn a sylwi ar y miloedd ar filoedd o enwau ynddo, fe ddwedodd un dramodydd *'What a cast, but no drama'*. Ac yn un o'i lyfrau nodiadau ysgrifennodd y nofelydd Americanaidd Nathaniel Hawthorne *'Suggestion for a story – story in which the principal character never appears'*. Wrth feddwl am Y Cymun, fe fyddai'n ddigon hawdd i ni ddweud *'What a drama'* a bod y *'cast'*, yr actorion, yn brin, ond yn wahanol i stori Hawthorne, yn y ddrama hon – drama'r Cymun – nid yw'r prif gymeriad fyth yn absennol.

Er ei fod ef, Iesu, awdur a chynhyrchydd y ddrama, yn rhydd i fynd ac i ddod, does dim byd yn sicrach na'i bresenoldeb gyda'i bobl. Ein braint yw cael rhannu llwyfan ag Ef yn ystod y munudau nesaf hyn, a chofio am ei aberth trosom. Amen

Drama'r Cymun

Act 1: Rhan 1 – Cymryd

' ... i'r Arglwydd Iesu, y nos y bradychwyd ef, gymryd bara ... . yr un modd hefyd fe gymerodd y cwpan...' *1 Corinthiaid 11:23,24*

Yn ein myfyrdod diwethaf rydym wedi ceisio gosod llwyfan ar gyfer drama'r Cymun trwy gyfeirio at ei hactorion ac at ei hamcan. Ond beth am y ddarma ei hun? Ceir pedair act i'r ddrama; Cymryd, Diolch, Torri, Rhannu. Rhown ein sylw i'r act gyntaf yn yr oedfa hon ac yn yr oedfa Gymun nesaf hefyd a hynny oherwydd bod dwy ran i'r act o *Gymryd – cymerodd Iesu fara* a *chymerodd y cwpan*.

Gwledd y Pasg

Cyn bwyta'r Swper Olaf gyda'i ddisgyblion, dywedodd Iesu wrth Pedr ac Ioan i fynd a pharatoi iddo gael bwyta gwledd y Pasg. Un o brif wyliau'r Iddewon yw'r Pasg, a chaiff yr ŵyl ei dathlu heddiw gan Iddewon ffyddlon, fel y gwnaed yn nyddiau Iesu. Gŵyl deuluol yw'r Pasg pan ddaw aelodau'r teulu at ei gilydd o gwmpas y bwrdd; offryma'r penteulu weddi o ddiolchgarwch, ac yna fe fydd pawb yn yfed o gwpan gwin. Wedi hyn, fe fydd yr ifancaf yn y teulu yn gofyn, *'Beth yw ystyr y cyfan hyn?'* Eglurir iddo fod gŵyl y Pasg yn ŵyl i gofio'r waredigaeth o'r Aifft, cyn i'r teulu uno i ganu Salm o fawl i ddiolch am y waredigaeth a rhannu yn y wledd mewn modd sy'n dramateiddio digwyddiadau'r Ecsodus. Bydd y penteulu'n torri'r bara croyw (bara heb furum) a rhoi darn i bob un. Bydd oen yn cael ei aberthu ar yr ŵyl a hynny hefyd yn arwydd o ddiolchgarwch. I gloi'r ddefod fe gymerir cwpan sy'n cael ei alw'n gwpan y fendith, a phawb yn canu Salmau.

Cyffredin a Chysegredig

Cadwodd Iesu yr ŵyl hon gyda'i ddisgyblion a chymryd y bara a'r gwin ond rhoddodd ystyr amgenach i'r *cymryd* na'r hyn oedd iddo yn nefod yr Iddewon. Dywedodd wrthynt mai ei gorff ef oedd y bara a dorrwyd a'i waed ef oedd y gwin a yfwyd, ac felly ef ei hun oedd yr aberth. Wrth

9

i ni gymryd y bara a'r gwin yn yr oedfa hon, rydym ninnau'n cyfranogi o farw aberthol Iesu.

Pan fyddwn yn dod i oedfa Gymun fe welwn liain gwyn wedi'i daenu dros y bwrdd yn y sedd fawr a bara a gwin arno; hynny yw, rydym yn cymryd yn ganiataol bod rhywun wedi mynd ati i baratoi'r bwrdd ar ein cyfer. Ac er ein bod yn ddiolchgar iawn i'r sawl sydd wrthi'n paratoi'r bwrdd, yn gwbl ddi-ffws a di-sylw, fe all hynny fod yn un o wendidau'n gwasanaeth Cymun! Gweithred ar gyfer pawb ohonom yw'r Cymun ac i fod yn fanwl gywir, fe ddylai gosod y bara a'r gwin ar y bwrdd fod yn weithred mae gan bawb ohonom ran ynddi. Yn yr Eglwys Uniongred Ddwyreiniol un o fomentau mawr y gwasanaeth Cymun yw pan fydd y bara a'r gwin yn cael eu cario i mewn i'r gwasanaeth fel bod pawb yn eu gweld. Mewn rhai eglwysi fe fydd y gynulleidfa'n dod â bara a gwin gyda nhw er mwyn eu gosod ar y bwrdd, ac mae arwyddocâd arbennig i'r weithred o 'osod ar y bwrdd'.

Beth yn union a olygir wrth ddod â bara a gwin i'r gwasanaeth Cymun? Onid ydy'r naill beth a'r llall yn symbolau pwysig iawn? Mae'r bara'n cynrychioli'n gwaith o ddydd i ddydd a phopeth sy'n gysylltiedig â'n bywoliaeth, ein heiddo a'n harian a'n cyfoeth. Mae'r gwin yn cynrychioli llawenydd bywyd, a phopeth sy'n ein gwneud yn hapus ac yn rhydd. Fe ddown â'r cyfan sydd gennym at fwrdd y Cymun – pob agwedd ar fywyd – ein trafferthion a'n brwydrau, ein llwyddiannau a'n methiannau – ar allor Duw. Offrymwn ein cwbl i Dduw gan weddïo y bydd Iddo ddefnyddio'r cwbl fel y myn er ei ogoniant ef ei hun. Dyna yw ein hoffrwm, dod â'r cyffredin at y sanctaidd. Dod â'r cyffredin at y cysegredig. Wrth ddod â'r bara a'r gwin at fwrdd y Cymun deuwn â'n byd yn ei holl agweddau at Dduw er mwyn iddo ef gael gafael arno i'w drawsnewid a'i wneud yr hyn y dymuna iddo fod.

Adroddir bod yr arlunydd enwog Edward Burne-Jones, un o arlunwyr amlycaf Lloegr yn yr ugeinfed ganrif, wedi tynnu llun o'r Greal Sanctaidd – y cwpan yr honnir i Iesu yfed ohono yn y Swper Olaf – a'i osod uwchben y sinc yn y gegin lle byddai'r llestri prydau bwyd yn cael eu golchi. Mae hynny'n arwyddocaol iawn – y cwpan Cymun a'r cwpan te gyda'i gilydd. Ac onid dyna yw'r Cymundeb? Pan eisteddodd Iesu wrth y bwrdd gyda'i ddisgyblion nid symbolau cyfrinachol a ddefnyddiodd i argraffu'i dynged ar eu meddyliau, na chwaith gyfeirio at brofiadau cyfriniol neu fytholegol. Fe gymerodd bethau mor gyffredin â bara a gwin. Nid ydym yn awgrymu o gwbl fod y pethau sanctaidd yn gyffredin. Awgrymu a wnawn fod modd gwneud y pethau cyffredin yn sanctaidd. Nid Arglwydd y bwrdd Cymun yn unig yw Duw. Mae'n llywodraethu dros ein bywyd yn gyfan gwbl – y bwrdd Cymun a'r bwrdd brecwast, y cwpan Cymun a'r cwpan te, y plât sgleiniog sy'n dal y bara o'n blaen heddiw a'r dorth sydd ar y bwrdd gartref. Pan ddeuwn â'r bwrdd brecwast i'r cysegr, mae'n cael ei droi'n fwrdd Cymun. Dyna yw ystyr dweud gras bwyd – cydnabod mai o Dduw y daw ein holl fendithion, gofyn iddo fendithio'r bwyd, a rhoi yn ôl i Dduw yr hyn mae ef wedi'i roi i ni.

Deunydd i weithio
Yr offrwm mwyaf y medrwn ei roi i Dduw yw ni ein hunain. Mae Duw yn dibynnu ar fywydau cyffredin yn cael eu rhoi yn ddiamod at ei wasanaeth ef. Ydych chi'n cofio am y bachgen bach a ddaeth â'i bum torth a'i ddau bysgodyn at Iesu, ac i Iesu eu cymryd a chyflawni drwyddynt wyrth porthi'r pum mil? Mae angen deunydd ar Iesu i weithio arno a thrwyddo i gyflawni gwyrthiau heddiw. O bob deunydd, y deunydd sydd angen arno fwyaf yw ein bywyd ni'n hunan, ac er bod y bywyd hwnnw ymhell o fod yn berffaith, mae Iesu'n cyflawni arno wyrth y greadigaeth newydd. Ein braint ni yw rhoi ein hunan yn gyfan gwbl iddo.

Cymer, Arglwydd, f'einioes i,
i'w chysegu oll i ti;
cymer fy munudau i fod
fyth yn llifo er dy glod. Amen.

Drama'r Cymun

Act 1: Rhan 2 – Cymryd

'...fe gymerodd y cwpan, ar ôl swper, dan ddweud, "Y cwpan hwn yw'r cyfamod newydd yn fy ngwaed"...' *1 Corinthiaid 11:24*

Mae'r gair *cyfamod*, un o eiriau mawr y Beibl, yn digwydd tua 300 o weithiau yn yr Hen Destament, ac yn ddiethriad bron, mae'n cael ei ddefnyddio i ddisgrifio perthynas Duw â'i bobl. Nid perthynas gyfartal yw'r berthynas hon, fel petai yn rhyw fath o gytundeb rhwng pobl sydd ar yr un gwastad â'i gilydd o ran cyfoeth, statws a dylanwad. Na, Duw sy'n gwneud cyfamod â'i bobl, ac yn y cyfamod hwn mae'r cryf yn gwarchod y gwan. Cyfamod deddf, er enghraifft, oedd yr hen gyfamod a wnaed ar fynydd Sinai; cyfamod gras Duw yw'r cyfamod newydd y mae sôn amdano yn yr adnod hon. Nid cyfamod wedi'i arwyddo ag inc neu bensil, ond un a seliwyd â gwaed Iesu ei hun. Mae'r Cymun yn gadarnhad o gyfamod Duw â ni. Symbol o gyfamod Duw â ni yw'r Cwpan.

Cwpan Cariad
Mae'n siŵr gen i mai un o adnodau cyntaf y Beibl a ddysgwyd gennym pan oeddem yn blant oedd y tri gair cyfarwydd *Duw, Cariad Yw* neu, i'w ddyfynnu'n gywir, *'Cariad yw Duw'* (1 Ioan 4:8). Ond tybed a ydym wedi cyfarwyddo cymaint â'r gosodiad mai *'Cariad Yw Duw'* fel ein bod wedi colli llawer o'i rym a'i arwyddocâd? Efallai mai un o'r rhesymau am hyn, yn ogystal â'r ffaith ein bod wedi'i adrodd dro ar ôl tro, yw nad oes gennym yn ein hiaith fwy nag un gair i ddisgrifio gwahanol fathau o gariad. Ac nid yw'r iaith Saesneg ddim gwell!

Yn iaith wreiddiol y Testament Newydd, sef yr iaith Roeg, ceir pedwar gair am *gariad* sef, *eros, storge, philia* ac *agape,* â chynnwys gwahanol i bob un ohonynt. Y gair sy'n cael ei ddefnyddio yn yr iaith honno am gariad Duw yw *agape*. Mae'r cariad hwn yn wahanol i'r geiriau eraill sy'n cael eu defnyddio am gariad. Ceir cyfyngiadau i gariad yn y tri arall, ond mae *agape* sef cariad Duw, cariad dwyfol, yn gariad sy'n rhoi popeth. Pa fendith fwy a all ddod i'n rhan na bendith cariad Duw ei hun?

Dywedodd Iesu *'gwnewch hyn er cof amdanaf'*. Cofiwn am aberth Iesu, ond cofiwn hefyd ein bod yn cael ein cofio, a rhan o'r cofio wrth fwrdd y Cymun yw cofio cariad Duw atom, a chofio cyfamod cariad Duw, sef bod Duw o'n plaid, o'n hochr ni. Mae cariad Duw yn gariad sanctaidd, yn gariad glân a phur oherwydd bod Duw ei hun yn bur a glân.

Ond peidiwn ag anghofio bod dicter yn perthyn i Dduw hefyd. Nid dicter atom ni bechaduriaid, ond dicter at bechod. Mae Duw yn ein barnu oherwydd ei fod yn ein caru, yn union fel y bydd rhiant o bryd i'w gilydd yn dweud y drefn wrth ei blentyn, a hynny oherwydd ei fod yn ei garu. Mae Duw yn ein barnu er mwyn ein hadfer i berthynas gariadlawn ag ef. Ie, *'**Cariad Yw Duw'.***

Cwpan Dioddefaint

Yn y Beibl, ac yn arbennig yn yr Hen Destament, mae'r gair *cwpan* yn cael ei ddefnyddio yn amlach na pheidio i ddisgrifio tynged pobl, hynny yw, yr hyn mae Duw wedi'i roi iddynt i'w yfed. Weithiau mae'r cwpan yn symbol o ddaioni a thrugaredd Duw, er enghraifft mae'r Salmydd yn dweud *'mae fy nghwpan yn llawn'* (Salm 23). I fynegi'i farn ar y cenhedloedd gorchmynnodd yr Arglwydd Dduw Jeremeia, *'cymer y cwpan hwn o win llidiog o'm llaw, a rho ef i'w yfed i'r holl genhedloedd yr anfonaf di atynt'* (Jeremeia 25:15).

Mae nifer o'r cyfeiriadau at y Cwpan yn yr Hen Destament, ac eithro geiriau'r Salmydd yn Salm 23, yn dangos bod y cwpan yn symbol o'r dioddefaint a ddaw i ran pobl oherwydd eu bod yn anffyddlon i Dduw. Mae'r cwpan a yfodd Iesu hefyd yn gwpan dioddefaint, nid oherwydd ei anffyddlondeb i Dduw ond yn hytrach ei ffyddlondeb iddo. Yng ngardd Gethsemane fe weddïodd Iesu'n ddwys *'O Dad, os wyt ti'n fodlon, cymer y cwpan hwn oddi wrthyf. Ond gwneler dy ewyllys di ac nid fy ewyllys i'* (Luc 22: 43). Gweddïodd Iesu ar i gwpan dioddefaint fynd heibio iddo, ond mewn ufudd-dod i ewyllys ei Dad, fe yfodd y cwpan i'r gwaelod ar Galfaria. Ac oherwydd i Grist yfed Cwpan Dioddefaint fe allwn ni heddiw yfed o Gwpan Y Fendith.

Cwpan Gobaith

Yn nwylo Iesu, mae'r cwpan nid yn unig yn gwpan cariad a chwpan dioddefaint ond hefyd yn gwpan gobaith. Mae elfen o edrych ymlaen i'r dyfodol yn perthyn i bob Cymun. Mae pob Cymun yn broffwydol. Wrth roi cwpan i'w ddisgyblion i yfed ohono, dywedodd Iesu, *'rwy'n dweud wrthych nad yfaf o hyn allan o ffrwyth y winwydden hyd nes y daw teyrnas Dduw'* (Luc 22:18). Mae'r Apostol Paul, yn ei adroddiad ef o'r Swper yn dweud, *'bob tro y byddwch yn bwyta'r bara hwn ac yn yfed y cwpan hwn yr ydych yn cyhoeddi marwolaeth yr Arglwydd, hyd nes y daw'* (1 Corinthiaid 26). Hiraeth am yr hyn a ddaw yw'r gobaith Cristnogol, ac nid hiraeth am yr hyn a fu. Y gobaith am yr hyn a ddaw eto yn y dyfodol sy'n rhoi ystyr a llawenydd i'n gwaith heddiw yn y presennol. Rydym yn cael ein hannog gan awdur y Llythyr at yr Hebreaid i redeg yr yrfa sydd o'n blaen heb ddiffygio *'gan gadw golwg ar Iesu, awdur a pherffeithydd ein ffydd. Er mwyn y llawenydd oedd o'i flaen, fe oddefodd y groes heb ddiffygio.'* (Hebreaid 12:1,2). Nid yw'r llawenydd hwn ar drugaredd na ffawd na hap a damwain. Mae'n llawenydd yn yr Arglwydd, ac yn llawenydd na all neb na dim ei ddwyn oddi arnom.

Cwpan Cariad. Cwpan Dioddefaint. Cwpan Gobaith. Yfwn bawb o hwn. Amen.

Drama'r Cymun

Act 2: Diolch

'Oherwydd fe dderbyniais i oddi wrth yr Arglwydd yr hyn hefyd a draddodais i chwi: i'r Arglwydd Iesu, y nos y bradychwyd ef, gymryd bara, ac wedi iddo ddiolch...' *1 Corinthiaid 11:23*

Deuwn at ail act drama'r Cymun. Y pennawd i'r act gyntaf oedd *Cymryd* – Iesu'n cymryd y bara a'r gwin, a'r elfennau hynny'n symbolau o'n gwaith beunyddiol a'n bywyd beunyddiol. Dyna'n hoffrwm ni, a'r offrwm mwyaf yw offrymu'n hunain ar allor gwasanaeth Duw. Yr ail act yw i Iesu *ddiolch*. Meddai'r Apostol Paul, *'Oherwydd fe dderbyniais i oddi wrth yr Arglwydd yr hyn hefyd a draddodais i chwi: i'r Arglwydd Iesu, y nos y bradychwyd ef, gymryd bara, ac wedi iddo ddiolch...'.*

Diolch
Dyna dda fyddai pe bai gennym yr union eiriau a ddywedodd Iesu wrth ddiolch, ond nid felly mae'r hanes yn darllen. Y cyfan sy'n cael ei ddweud wrthym yw bod Iesu wedi diolch. O gofio mai bwyta gwledd y Pasg gyda'i ddisgyblion a wnaeth Iesu, fe gymerwn yn ganiataol ei fod, fel pob Iddew arall, wedi diolch am y modd yr arweiniwyd y genedl o gaethiwed yr Aifft, a'r union waredigaeth y rhybuddiodd Moses y genedl i beidio â'i hanghofio. *'Peidiwch'* meddai wrthynt, *'ag anghofio'r Arglwydd eich Duw, a ddaeth â chi allan o wlad yr Aifft, o dŷ caethiwed'* (Deuteronomium 8:14). A oedd angen, mewn gwirionedd, atgoffa pobl Israel o'r modd yr arweiniwyd hwy allan o'r Aifft? Pam oedd rhaid eu rhybuddio i beidio ag anghofio? Tybed a oedd Moses yn adnabod y natur ddynol cystal fel ei fod yn gwybod yn iawn am duedd pobl i ymffrostio yn eu nerth a'u cryfder eu hunain, gan anghofio'n aml am y sawl sydd wedi eu harwain i ryddid? A'r un yw'r natur ddynol o hyd – ymffrostio yn ei gallu hi ei hunan. Ond yma, wrth fwrdd y Cymun, rydym yn cael ein hatgoffa o'r waredigaeth fwyaf a ddigwyddodd erioed yn hanes dynoliaeth. Er mai dim ond diolch allwn ni ei wneud, mae'n rhaid cydnabod bod ein diolchiadau'n brin iawn. Cawn ein hunain yn

aml yn deisyf am hyn a'r llall, tan i'n deisyfiadau fynd yn fwy niferus o lawer na'n diolchiadau.

Diolch am fendithion tymhorol

Mae pob diwrnod yn frodwaith o fendithion rydym yn eu cymryd yn gwbl ganiataol, cartref a theulu, cwsg a bwyd a dillad, iechyd, gwaith i'w wneud a nerth i'w gyflawni. Mae pawb ohonom wedi mwynhau ac yn dal i fwynhau llawer ohonynt. A'r peth naturiol i'w wneud â bendith yw diolch amdani. Mae dweud *diolch* yn gwneud gwahaniaeth nid yn unig i ni ond hefyd i'r sawl rydym yn diolch iddynt. Mae dweud *diolch* yn fendith ddwbl. Mae dweud *diolch* i Dduw am ei fendithion yn rhywbeth a ddylai godi'n naturiol o galon y Cristion.

Fe glywais rywun yn dweud rywdro'i fod yn teimlo'n flin dros anffyddwyr oherwydd er eu bod hwy, fel ninnau, yn derbyn llawer o fendithion, does ganddynt neb i ddiolch iddo amdanynt. Nid felly roedd y Salmydd yn teimlo! '*Fy enaid, bendithia'r Arglwydd, a'r cyfan sydd ynof ei enw sanctaidd*' yw ei gân ef! Ni allai beidio â diolch i Dduw!

Er bod daioni a thrugaredd Duw'n ddaioni a thrugaredd i bawb yn ddiwahân, gwyddom fod miliynau yn ein byd heddiw yn ei chael hi'n anodd iawn i ddiolch. Pobl heb y bendithion tymhorol rydych chi a fi yn eu mwynhau. Pobl, a defnyddio ymadrodd cyfarwydd, *â'u cypyrddau'n wag*. Gwirionedd poenus iawn i ni ei ddysgu heddiw yw'r ffaith nad ar dudalennau'n papurau dyddiol, neu ar sgrîniau'n setiau teledu a'n cyfrifiaduron yn unig y gwelwn ddelweddau trist o effaith cypyrddau gwag ar fywydau pobl. Mae'r galw mawr am fanciau bwyd yn nhrefi Cymru'n profi bod cypyrddau'n wag yn ein milltir sgwâr ni'n hunain. Ffaith arswydus sydd yn ein hysgwyd i'r byw. Mae'n dda o beth i ni, sydd â digon gennym, ddod at fwrdd y Cymun heddiw, ond yn enw'r Un a ddaeth yn dlawd er mwyn ein gwneud ni'n gyfoethog. Nid oes gan neb ohonom yr hawl i gymryd bara oddi ar y bwrdd hwn os nad ydym yn barod i aberthu er mwyn i eraill gael eu bara beunyddiol.

Diolch am fendithion ysbrydol

Er mor bwysig yw diolch i Dduw am y bendithion tymhorol a dderbyniwn o ddydd i ddydd, cofiwn hefyd yr angen i ddiolch am fendithion ysbrydol; cariad, gras, maddeuant, trugaredd, rhyddid, bywyd tragwyddol, bendithion y gellir mewn gwirionedd eu crynhoi i un gair, sef Efengyl. Crist yw'r Efengyl. Mae'n anodd iawn i ddod o hyd i eiriau i fynegi'n iawn y bendithion ysbrydol a ddaw i'n rhan. Roedd yr Apostol Paul yn feistr ar eiriau, a digon ohonynt ganddo at ei wasanaeth, ond roedd hyd yn oed Paul, wrth fynd ati i ddiolch i Dduw wedi bodloni ar ddweud *'diolch i Dduw am ei rodd anhraethadwy'* (2 Corinthiaid 9:15), oherwydd ei fod wedi rhedeg allan o eiriau! Ystyr y gair *anhraethadwy* yw'r hyn na ellir ei roi mewn geiriau. *'Thanks be to God for his unspeakable gift'* meddai un cyfieithiad Saesneg o'r Testament Newydd.

Y rhodd *anhraethadwy* yw Iesu Grist. Rhodd yr holl roddion. Bendith yr holl fendithion. Ynddo ef y datguddiwyd cariad Duw. Wrth feddwl am gariad Duw yn Iesu, y *rhodd anhraethadwy*, ni allwn beidio â gweithredu. Nid yw'n geiriau o ddiolch yn annerbyniol gan Dduw, ond canwaith mwy derbyniol ganddo yw bod ein diolch yn cael ei fynegi mewn gweithred o gariad a thrugaredd at eraill. *'Yn gymaint ag i chwi ei wneud i un o'r lleiaf o'r rhain ... i mi y gwnaethoch.'* (Mathew 25:40). Mae pob diolch yn gostus. Dyna yw ystyr *'offrymu diolch'*.

Er mwyn ei enw, Amen.

Drama'r Cymun

Act 3 – Torri

'...ac wedi iddo ddiolch, fe'i torrodd...' *1 Corinthiaid 11:24*

Yn ein hoedfa heddiw, trown at y drydedd act yn nrama fawr y Cymun – torri'r bara. Mae'n rhaid fod y torri hwnnw wedi gadael argraff ddofn ar y disgyblion oherwydd wrth i Iesu gymryd bara a'i fendithio, ei dorri a'i roi iddynt, y daeth ei ffrindiau yn Emaus i'w adnabod; *'agorwyd eu llygaid hwy, ac adnabuasant ef'* (Luc 24).

Mae'n siŵr mai torth gyfan oedd ar y bwrdd yn yr Oruwchystafell ac nid tameidiau bach o fara wedi'u torri'n gelfydd ar blât fel sydd ar fyrddau Cymun ein capeli. Roedd rhaid torri'r bara, felly, er mwyn ei rannu. Ond roedd i'r weithred o dorri ystyr ddyfnach o lawer na'r rheidrwydd hwnnw, ac yn arbennig felly pan ydym yn cysylltu'r torri bara â'r yfed o'r cwpan. Symbol yw'r bara o gorff Iesu Grist, ac arwyddocâd torri'r bara yw y bydd ei gorff yn cael ei dorri; symbol yw'r gwin o waed Crist sy'n cael ei dywallt er ein mwyn. Mae Iesu yn dweud wrth ei ddisgyblion – edrychwch, sylwch – y bara hwn – hwn yw fy nghorff i yr wyf yn ei dorri; y gwin hwn – hwn yw fy ngwaed i rwyf yn ei roi. A phan ddywedodd Iesu wrthynt *'gwnewch hyn'* – bwytewch ac yfwch – roedd Crist, y Dioddefwr mawr yn paratoi'i ddisgyblion ar gyfer brwydr ac unigrwydd a dioddefaint a rhag i'w cyrff hwythau, o bosib, gael eu torri, a'u gwaed hwythau gael ei dywallt. Ym mhob cyfnod yn hanes yr Eglwys mae rhywrai – pobl ddewr y Ffydd – wedi *'gwneud hyn'* – wedi dioddef hyd at farwolaeth yn ei enw ef. Mae'r *'gwneud hyn'* yn aberth.

Aberthu anifail

Fe fyddai pob Iddew ffyddlon yn deall symboliaeth y bara a'r gwin oherwydd un o nodau amgen ei grefydd oedd y sustem aberthol. Byddai'r Iddew'n prynu anifail – oen, os gallai'i fforddio – ac yna'n rhoi'r anifail i'r offeiriad yn y deml i'w ladd, ac er mwyn iddo fedru taenu gwaed ar yr allor. Yna, fe fyddai'r anifail a laddwyd yn cael ei roi'n ôl i'w berchennog ar gyfer pryd aberthol. Ystyr gwneud hyn oedd er mwyn i'r perchennog uniaethu'i hun â'r anifail a aberthwyd. Roedd yn edifarhau wrth aberthu'r anifail, er mwyn gwneud iawn am ei bechodau. Trwy aberthu anifail, roedd yn credu'i fod yn bodloni Duw ac yn cael ei gymodi â Duw.

Er bod aberth yn cael ei dderbyn yn yr Hen Destament, mae'r syniad materol o aberthu'n cael ei gondemnio, hynny yw aberth heb oblygiadau moesol ac ysbrydol yn perthyn iddo. Nid yr aberth oedd yn ddrwg, ond deallwriaeth y sawl a oedd yn aberthu am yr hyn roedd Duw'n ei ddisgwyl ohono oedd yn ddrwg.

Mae Duw yn llefaru geiriau llym iawn wrth bobl Israel drwy'r Salmydd a'r proffwydi, er enghraifft; *'Oherwydd nid wyt yn ymhyfrydu mewn aberth; pe dygwn boethoffrymau, ni fyddit fodlon'* (Salm 51:16,17).

Ni fedr person, a'i holl aberthau a'i offrymau gymodi'i hun â Duw. Fe wnaed hyn drosto gan Grist, Oen Duw. A dyna yw hanfod yr Efengyl – Duw yng Nghrist trosom ni. Deall hynny yw deall Cristnogaeth.

Aberthu Mab
Un o benodau mawr, os nad y bennod fwyaf yn Llythyrau'r Apostol Paul, yw'r wythfed bennod yn ei Lythyr at y Rhufeiniaid. Daw rhethreg a huodledd Paul i'r amlwg yn y bennod hon, ac mae'i feddyliau a'i eiriau'n llifo ohono ar ruthr mawr, ffrwydrol. Yna, mae fel petai'n oedi i gael ei wynt ato, ac yn cael anhawster i fynd yn ei flaen. Cawn y teimlad ei fod yn brwydro braidd ag ef ei hun am y ffordd orau i fynegi'r hyn sydd ar ei feddwl; *'o ystyried hyn oll,'* meddai, *'beth a ddywedwn?'* Ond ymhen fawr o dro mae'n cael gafael yn ei bwnc unwaith eto ac yn llefaru mor huawdl â chynt, a dweud, *'Os yw Duw trosom, pwy sydd yn ein herbyn? Nid arbedodd Duw ei Fab ei hun, ond ei draddodi i farwolaeth trosom ni oll'* (Rhufeiniaid 8: 32).

Mae'r geiriau hyn yn ein hatgoffa am dad arall, Abraham, a alwyd i aberthu'i fab, Isaac, ar fynydd Moreia ond, ar y foment olaf, arbedwyd Isaac ac aberthwyd yr oen. Ond nid dyna a ddigwyddodd i Fab Duw. Ni bu moment olaf yn hanes Iesu iddo gael ei arbed. Aeth i'w groes a'i aberthu ei hun trosom. Ni allwn wneud dim ond synnu a rhyfeddu at ei waith yn marw trosom er mwyn i ni gael byw. Oherwydd na chafodd Crist ei arbed, fe'n harbedwyd ni.

Cost Ffydd

Nid ein gwrthwynebwr yw Duw ond ein hamddiffynwr. Pan welwn Iesu ar y groes, fe welwn Dduw hefyd. Mae gwrthod Crist yn gyfystyr â gwrthod Duw; y Crist, ar noswyl ei groeshoeliad, a *'gymerodd fara',* ac wrth ei roi iddynt, dywedodd, *'Hwn yw fy nghorff, sydd er eich mwyn chwi. Yn yr un modd fe gymerodd y cwpan ar ôl swper, gan ddweud, y cwpan hwn yw'r cyfamod newydd yn fy ngwaed i'* sy'n cael ei dywallt er ein mwyn ni. Mae Duw trosom ni.

Mae ffydd yn gostus. Ni addawodd Iesu fywyd hawdd i'w ddisgyblion, na chwaith fywyd heb orthrymder. Deuwn i'r oedfa Gymun hon, a phob oedfa Gymun arall, nid i gael chwistrelliad o gysur i'n cadw am fis arall; deuwn yma i rwymo'n hunain wrth Iesu. Cofiwn iddo ddweud wrth ei ddisgyblion rywdro *'dyma fi yn eich anfon allan fel defaid i blith bleiddiaid'* (Mathew 10:16), ac mewn man arall, *'yn y byd gorthrymder a gewch, ond codwch eich calon, yr wyf fi wedi gorchfygu'r byd'* (Ioan 16:33). Nid esbonio'r byd wnaeth Iesu, ond gorchfygu'r byd. Ac i'r sawl sy'n dymuno'i ddilyn yn ffyddlon drwy'r brwydrau i gyd, mae Iesu'n addo'r un oruchafiaeth.

Tybed a fydd ein ffydd ni'n ddigon yn ein gorthrymderau? Go brin y bydd! Nid sôn am ein ffydd ni a wna'r Testament Newydd, ond sôn am gariad Duw sy'n fwy ac yn gryfach na phwerau'r byd. Y cariad yr awn ati'n awr i ddiolch amdano wrth gofio am aberth Mab Duw trosom ar Galfaria. Amen.

Drama'r Cymun

Act 4 – Rhannu

'Derbyniodd gwpan, ac wedi iddo ddiolch meddai "Cymerwch hwn a rhannwch ef ymhlith eich gilydd"' *Luc 22:17*

Yr act gyntaf yn nrama'r Cymun oedd *cymryd*, yr ail act oedd *diolch*, y drydedd oedd *torri*, a dyma ddod yn awr at yr act olaf sef, *rhannu*. Nid yw Paul nac ychwaith Mathew na Marc yn defnyddio'r gair *rhannu* yn eu hadroddiad o'r Swper Olaf, ond mae Luc yn ei ddefnyddio. Peth arall sy'n ddiddorol am adroddiad Luc am Swper yr Arglwydd yw mai'r gwin sy'n cael ei gymryd gyntaf ac wedyn y bara. Mae'n dweud am Iesu *'Derbyniodd gwpan, ac wedi iddo ddiolch meddai "Cymerwch hwn a rhannwch ef ymhlith eich gilydd.'* (Luc 22:17)

Y rhannu hwn o'r bara a'r gwin oedd y ddolen a oedd yn eu clymu wrth ei gilydd fel cymuned newydd, yn Eglwys. Dyna oedd gan Paul yn ei feddwl wrth ysgrifennu at bobl Corinth, *'Cwpan y fendith yr ydym yn ei fendithio, onid cyfranogiad o waed Crist ydyw? A'r bara yr ydym yn ei dorri, onid cyfranogiad o gorff Crist ydyw? Gan mai un yw'r bara, yr ydym ni, a ninnau'n llawer, yn un corff, oherwydd yr ydym i gyd yn cyfranogi o'r un bara.'* (1 Corinthiaid 10:17). Caiff yr Effesiaid eu hannog i *'ymroi i gadw, â rhwymyn tangnefedd, yr undod y mae'r Ysbryd yn ei roi. Un corff sydd, ac un Ysbryd ... un Duw a Thad i bawb, yr hwn sydd goruwch pawb, a thrwy bawb, ac ym mhawb'* (Effesiaid 4:5).

Yr Efengyl yw'r hyn sy'n creu, ac yn ailgreu'r Eglwys yn gyson, ac wrth gymuno yr ydym yn dathlu ein cymdeithas â'n gilydd yn yr Efengyl honno. A chan fod y bara rydym yn ei fwyta'n un bara, a'r gwin yr ydym yn ei yfed yn un gwin, mae pob bwyta a phob yfed heb berthynas gariadlawn rhyngom â'n gilydd yn halogi corff a gwaed Crist.

Y personol a'r cymdeithasol

Mae i'r Cymun elfen bersonol. Mae'r Cymun â'n henw ni arno oherwydd i Grist farw dros bawb ohonom, drosof fi a throsot ti. Mewn llawer o'n heglwysi yr arfer yw i'r gynulleidfa gydfwyta'r bara a chydyfed y gwin, ac mae hynny'n sicr i'w gymeradwyo ac yn fynegiant o'n hundod â'n gilydd. Mewn sawl eglwys hefyd bydd pob un yn bwyta'r bara wrth ei gael, ac yn yfed y gwin wrth ei gael, gyda'r anogaeth i fyfyrio'n ddwys ar aberth Crist drosto neu drosti. Mae'r arfer hwn yn pwysleisio gwedd *bersonol* Y Cymundeb.

Ond nid oes yma unrhyw wrthddweud rhwng y personol a'r cymdeithasol. Pan fyddwn mewn cymdeithas â'n gilydd y deuwn yn fwyaf personol. Gallwn fod yn *unigolyn* heb fod mewn perthynas â neb ond mae bod yn *berson* yn golygu bod mewn perthynas ag eraill. Fe'n crëwyd yn fodau cymdeithasol ac nid ydym yn gwireddu ein dynoliaeth ond mewn cymdeithas ag eraill. Ffurf ar hunanoldeb afiach yw pob unigolyddiaeth. Cymdeithas yw'r Eglwys. Yr Eglwys yw presenoldeb Crist fel cymdeithas. Yng Nghrist, mae pobl yn cael eu cymodi nid yn unig â Duw ond hefyd â'i gilydd. Gwelwn Grist yn y person arall, a'n braint ni yw bod yn Grist iddo ef neu hi. Yr Eglwys yw'r gymdeithas sydd yn byw o dan lywodraeth Crist. Yr Eglwys yw ei bresenoldeb yn y byd. Arwydd o bresenoldeb Crist yw'r *rhannu* wrth y Bwrdd Cymun. *'Cymerwch hwn'* meddai Iesu am y bara, *'a rhannwch ef ymhlith eich gilydd.'* Ei gorff ef yw'r Eglwys.

Ond beth sydd ymhlyg yn y rhannu hwn, y rhannu sy'n fynegiant o'n hundod â'n gilydd yng Nghrist? Mae Dietrich Bonhoeffer yn cynnig yr ateb hwn i'r union gwestiwn. Mae rhannu ymhlith ein gilydd yn golygu yn gyntaf *aberthu ein hunain er mwyn ein gilydd*, yn ail, *gweddïo dros ein gilydd*, ac yn drydydd, *maddau i'n gilydd*. Aberth, Eiriolaeth a Maddeuant, tri o alluoedd rhyfeddol y gymuned Gristnogol.

Aberth
Mae aberth, yn golygu gollwng gafael – gollwng gafael arnom ni'n hunain er mwyn eraill. Peidio â gosod ein hunain yn y canol a diystyru eraill, a chyflawni hynny'n ostyngedig, heb chwilio am glod. Rhaid wrth ostyngeiddrwydd y tu mewn i eglwys. Yr unig anrhydedd yw'r anrhydedd o wasanaethu Crist. Cario beichiau ein gilydd, a chyflawni cyfraith Crist.

Eiriolaeth
Os yw rhannu'n golygu aberthu er mwyn ein gilydd, mae hefyd yn golygu gweddïo dros ein gilydd. Mae'n bwysig eiriol dros ein gilydd

wrth droi at Dduw mewn gweddi. Efallai fod yna duedd ynom o fewn yr eglwys i weld bai ar ein gilydd, ond gan ein bod ni'n bobl sy'n byw ar faddeuant Duw, fe ddylem, fel aelodau o gorff Iesu Grist, weddïo dros ein gilydd. Mae'r gair 'eiriolaeth' yn tarddu o wreiddyn sy'n golygu 'dadlau achos rhywun arall'. Fel mae Crist yn eiriol trosom ni yn y nef – hynny yw, yn dadlau ein hachos – ein braint a'n hyfrydwch ni yw 'dadlau' achos eraill yn ei enw Ef. Ni all neb weddïo'n iawn heb alw i gof ofidiau ei gyd-ddyn.

Maddeuant

Ac yna, mae rhannu ymhlith ein gilydd yn golygu maddau i'n gilydd. Mae'n rhyfeddol meddwl nad ein hunig waith yw eiriol dros eraill, a chyhoeddi bod iddynt faddeuant, ond hefyd fod yn gyfrwng y maddeuant hwnnw. Rhoddwyd i ni'r hawl i faddau pechodau. Geiriau ysgytwol nad ydym, o bosib, wedi'u gwerthfawrogi'n iawn yw geiriau Crist i'w ddisgyblion *'derbyniwch yr Ysbryd Glân. Os maddeuwch bechodau rhywun, y maent wedi eu maddau iddo; os peidiwch â'u maddau, y maent heb eu maddau'* (Ioan 20:22,23).

Gwledd Cariad

Mae Paul, wrth rybuddio'r Corinthiaid ynglŷn â'r cymundeb yn cyfeirio at *fwyta'n annheilwng*. O bob dim arall y gall bwyta'n annheilwng ei olygu, mae'n sicr ei fod yn golygu, o gofio cymeriad yr Eglwys yng Nghorinth, bwyta pan na fydd gennym *gytgord ymhlith ein gilydd,* pan na fydd gennym *ofal am ein gilydd,* a phan na fydd gennym *gariad at ein gilydd.* Gwledd cariad yw'r Cymun. Os nad oes cariad ynom, ni allwn gyfranogi o'r wledd yn deilwng.

Yn y cwmni yn eistedd o amgylch y bwrdd yn yr Oruwchystafell roedd Jwdas. Mae ei enw yn unig yn codi ymdeimlad o fraw ynom. Jwdas y bradychwr – bradychodd Iesu â chusan. Mae'n amheus gennyf i a gawn ni'n cyhuddo o frad tebyg i frad Jwdas, ond nid yw hynny'n golygu nad oes brad ynom. Mae Iesu'n cael ei fradychu ynom pan fydd drwg yn ein calon at eraill, pan fyddwn yn ormesol at eraill, a phan na fyddwn yn barod i faddau i eraill.

'Derbyniodd gwpan, ac wedi iddo ddiolch meddai "Cymerwch hwn a rhannwch ef ymhlith eich gilydd"'. (Luc 22:17) Amen.

Drama'r Cymun

Act 5: Allan

'Ac wedi iddynt ganu emyn aethant allan...' *Mathew 26:30*

Yn ein saith gwasanaeth Cymun diwethaf rydym wedi bod yn myfyrio ar yr adroddiad neu, yn gywirach, yr adroddiadau am sefydlu Swper yr Arglwydd ac yn ystyried y Cymun fel drama. Yn ein myfyrdod cyntaf, rhoddwyd sylw i actorion y ddrama, ac, yn ein hail fyfyrdod i amcan y ddrama. Ystyriwyd wedyn y pedair act yn y ddrama; cymryd, diolch, torri a rhannu. Ond mae un weithred arall yn y ddrama na ddylem mo'i hanwybyddu – gweithred sy'n cael ei chofnodi gan Mathew a Marc; *'Ac wedi iddynt ganu emyn aethant allan i Fynydd yr Olewydd'* (Mathew 26:30).

Swper yn troi'n gân

Pan fydd y llen yn disgyn ar ddiwedd yr act olaf mewn drama sy'n cael ei llwyfannu mewn theatr, bydd y gynulleidfa, fel arfer, yn mynegi gwerthfawrogiad o'r ddrama drwy gymeradwyo. Ar y ffordd allan fe fydd rhai, os nad pawb, yn ei mesur a'i phwyso, a rhoi eu barn arni. Ymhen dim amser mae'r ddrama'n peidio â bod yn destun siarad, ac anghofir amdani'n fuan. Ond nid yw hyn yn wir am ddrama Swper yr Arglwydd. Nid oedd curo dwylo i'w glywed wedi act olaf y ddrama hon, ond roedd yno ganu. Mae'r Swper yn troi'n gân. Rhan bwysig iawn o ddefod Gŵyl y Pasg oedd cân o'r enw *Hallel*, a'i ystyr yw *'mawl i Dduw'*. Yn yr *Hallel* yr oedd chwe Salm – Salmau 113 i 118 – a byddai pob un ohonynt yn cael eu canu, nid ar yr un pryd, yn ystod yr ŵyl. Ar ddiwedd yr ŵyl byddent yn canu'r *Hallel Fawr*, Salm 136 – Salm sy'n agor gyda'r geiriau,
'Diolchwch i'r Arglwydd am mai da yw, oherwydd mae ei gariad hyd byth'
ac yn cloi gyda'r geiriau,
'Ef sy'n rhoi bwyd i bob creadur oherwydd mae ei gariad hyd byth. Diolchwch i Dduw y nefoedd, oherwydd mae ei gariad hyd byth.'
A dyna'r Salm a ganwyd ar ddiwedd y Cymun yn yr Oruwchystafell.

Peth arall sy'n nodweddu drama Swper yr Arglwydd, yn wahanol i bob drama arall, yw nad drama i gael ei thrafod gennym yw hi ond drama i'w llwyfannu dro ar ôl tro. Mae'n ddrama na fydd diwedd iddi hyd nes y daw Crist, ac y cawn fwyta ac yfed gydag ef, ac yntau gyda ninnau, yn nheyrnas ei Dad. Wrth gymuno yma'n awr rydym yn cael rhagflas o'r wledd fawr a fydd yn dathlu buddugoliaeth derfynol Iesu Grist.

Llwyfan yr oedfa

Llwyfan i'r ddrama hon yw ein gwasanaethau crefyddol. Yn y traddodiad anghydffurfiol, mae Cymun yn cael ei weinyddu gennym unwaith y mis ar y Sul. Nid yn rhy aml rhag inni gyfarwyddo gormod â'r Cymun a'i ddibrisio, ac nid yn rhy anaml rhag i ni golli golwg ar ei ystyr a'i arwyddocâd. Roedd yr Oedfa Gymun yn cael ei hystyried yn Gwrdd Mawr gan ein cyndadau a'n mamau, a gweinidogion a phregethwyr yn aml yn gwisgo siwt ychydig yn wahanol ar gyfer Oedfa Gymun i'r hyn y byddent yn ei gwisgo'n arferol ar y Sul! Arfer na fyddai llawer ohonom yn y ganrif newydd hon yn awyddus i'w gweld yn dod yn ffasiwn unwaith eto! Wedi'r cwbl, nid y wisg amdanom sy'n bwysig pan ddown i Oedfa Gymun ond y weddi yn ein calon. Mae'r dyhead sydd yno i gwrdd â'n Gwaredwr wrth ei fwrdd yn fwy pwysig o lawer na'r dillad sydd amdanom.

Nid cychwyn rhywbeth newydd a wnawn pan fyddwn yn cymryd y bara a'r gwin. Mae cenedlaethau o bobl wedi cymryd oddi wrth yr Arglwydd o'n blaen ni. Mae'r gwirionedd hwn yn cael ei fynegi yn y geiriau a ddefnyddiwn wrth fwrdd y Cymun, geiriau'r Apostol Paul, *'fe dderbyniais i oddi wrth yr Arglwydd yr hyn hefyd a draddodais i chwi...'* (1 Corinthiaid 11:23). Ac fel y traddododd Paul yr hyn yr oedd wedi'i dderbyn o draddodiad cyffredinol yr Eglwys, mae'r naill genhedlaeth yn cyflwyno i'r genhedlaeth nesaf holl olud a chyfoeth yr etifeddiaeth. Mae'n weithred sydd â'i gwreiddiau ym mywyd a marwolaeth ac atgyfodiad yr Arglwydd Iesu.

Llwyfan y byd

Wedi dweud hynny, dyw hi ddim yn ddigon i'r ddrama gael llwyfan yn ein gwasanaethau crefyddol, mae'n rhaid iddi gael llwyfan yn y byd. *'Ac wedi iddynt ganu emyn aethant allan...'*. Yn ein myfyrdod ar yr act gyntaf yn y ddrama, dehonglwyd *'cymryd bara'* i olygu dod â'r seciwlar

– ein gwaith beunyddiol; ein methiannau a'n llwyddiannau – i galon y cysegredig, y sanctaidd, ond mae'r *'aethant allan'* yn golygu mynd â'r sanctaidd a'r cysygredig allan i'r seciwlar. *'Ewch i'r holl fyd'* oedd gorchymyn Iesu yn ei gomisiwn olaf i'w ddisgyblion. Dyna i chi lwyfan! Mae'r llwyfan hwn yn cael ei nodweddu gan ddau ddimensiwn, y naill ddimensiwn yw'r dimensiwn *daearyddol*, a'r llall yw'r dimensiwn *cymdeithasol*. Mae'r daearyddol yn golygu mynd allan i'r byd, ac mae'r cymdeithasol yn golygu mynd i mewn i'r byd. Mae traddodiad wedi'n dysgu mai allan yn y byd mae cenhadaeth yr Eglwys, a meddylir hyd heddiw am y genhadaeth fel rhywbeth sy'n digwydd dros y môr. Ond mae'r cymdeithasol yn ein gyrru i edrych i mewn i'r byd, ac edrych ar ein sefyllfa ni'n hunain yn y cylch lle rydym yn byw ac yn gweithio. Wedi'r cymryd, y diolch, y torri a'r rhannu yn y capel, mae'n rhaid i'r actau hynny gael eu gweld ynom ni a thrwom ni'r tu allan. Oni chafodd Iesu'i groeshoelio'r tu allan i furiau'r dref, a hynny er mwyn sancteiddio'r byd trwy'i waed ei hun?

Llwyfan y galon

Ond o bob llwyfan, y llwyfan pwysicaf i'r ddrama fawr hon yw ein calon ni'n hunain. Os nad oes i'r Cymun lwyfan ynom ni, ni fydd iddi lwyfan drwom ni. Mae awdur y ddrama, sef Iesu Grist ei hun, yn chwilio am gymeriadau i fyw ynddynt a thrwyddynt. Yn Llyfr y Datguddiad mae'r Awdur hwn yn cael ei gyflwyno fel y tyst ffyddlon a gwir, a dechreuad creadigaeth Duw, ac fel un sy'n dweud *'Wele, yr wyf yn sefyll wrth y drws yn curo, os clyw rhywun fy llais ac agor y drws, dof i mewn ato a swperaf gyda ef, ac yntau gyda minnau'* (Datguddiad 3:14,20).

Allan

'Ac wedi iddynt ganu emyn, aethan allan i Fynydd yr Olewydd.' Mae'r Cymundeb yn troi'n gân, mae'r gân yn troi'n frwydr ingol yng ngardd Gethsemane, a'r frwydr yn troi'n aberth ar fryn y tu allan i fur y dref. Amen.

Ymadroddion y Groes

O Dad, maddau iddynt

'O Dad, maddau iddynt oherwydd ni wyddant beth y maent yn ei wneud' *Luc 23:34*

Bu'r artist Holman Hunt yn ddylanwadol iawn gyda'i ddarlun o Iesu Grist yn curo wrth y drws, ac er mai'r darlun hwn yw'r darlun mwyaf adnabyddus o'i waith, eto mae ganddo ddarlun arall yn dwyn yr enw *Cysgod Angau* sydd wedi creu argraff fawr ar lawer.

Yn y darlun hwn mae'r artist wedi paentio golygfa y tu mewn i weithdy saer coed, a Iesu yn pwyso yn erbyn ffwrwm pren a'i lif wedi'i gosod gerllaw.

Mae Iesu'n edrych i gyfeiriad y nef gyda golwg boenus ond eto orfoleddus ar ei wyneb, gan ymestyn ei freichiau a chodi'i ddwy law i'r awyr. Mae goleuni'r hwyr yn llifo drwy'r drws agored ac yn taflu cysgod ar ffurf croes ar y mur y tu cefn iddo.

Roedd ychydig o sentimentalrwydd yn perthyn i artistiaid y cyfnod y darluniwyd y llun hwn, sef y bedwaredd ganrif ar bymtheg, ond eto, roedd yr artisitiaid yn cymryd eu gwaith o ddifri ac mynd at eu gwaith gyda'r diffuantrwydd a'r didwylledd mwyaf. Yn wir, aeth Holman Hunt allan i Jerwsalem i baentio'r darlun arbennig hwn. Ac er bod rhyw wedd hanesyddol ddychmygol yn perthyn i'r llun, eto gellir dadlau'i fod yn ddiwinyddol gywir. Wedi'r cwbl, oni thaflodd y groes ei chysgod drwy gydol bywyd Iesu? Onid oedd cysgod y groes ar bob peth ym mywyd Iesu? Eto, nid dewis y groes a wnaeth, ond yn hytrach dewis llwybr – llwybr cariad, a oedd yn arwain yn anochel at y groes.

Wrth gofnodi hanes y Croeshoeliad, nid cofnodi digwyddiadau'r diwrnod hwnnw'n unig a wnaeth yr Efengylwyr. Maent wedi mynd ati hefyd i gofnodi pob gair a lefarwyd gan Iesu, fel pe baent am ddal ar bob un o'r geiriau olaf a lefarwyd ganddo.

Mae'n briodol ein bod ni hefyd yn myfyrio ar rai o'r brawddegau olaf a ddaeth dros wefusau Iesu ar adeg ei ddioddefaint olaf yn ein hoedfaon Cymun.

Gofyn am Faddeuant

O ing y groes fe weddïodd Iesu'r weddi fawr hon, *'O Dad, maddau iddynt, oherwydd ni wyddant beth y maent yn ei wneud'* (Luc 23:24). Gweddi sydd ymhlith y gweddïau mwyaf a weddïwyd erioed. Gweddi am faddeuant, a hynny'n faddeuant i elynion. Wedi'r cwbl, onid yw hi'n haws maddau i gyfaill nag i elyn?

Ceir amryw o enghreifftiau yn y Beibl o unigolion yn gweddïo er mwyn dial ar elynion. Yn Llyfr y Barnwyr, clywn Samson yn gweddïo gweddi'n llawn dialedd am i'w elynion ei garcharu a thynnu ei lygaid. Mor wahanol yw gweddi Iesu, nid gweddi am gosb a dialedd ar ei elynion ond gweddi am faddeuant iddynt.

Nid oedd gronyn o amheuaeth yng ngweddi Iesu bod Duw yn maddau. Mae sicrwydd yn ei weddi bod Duw yn maddau, a hynny nid oherwydd unrhyw rinwedd ynom ni, ond oherwydd ei gariad mawr atom.

Mae cariad Duw y tu hwnt i'n dirnadaeth ni. Ni adawodd Duw ni i'n tynged ein hunain nac i fedi ffrwyth ein camgymeriadau ac i farw a threngi yn ein pechodau. Mae ei gariad yn ei orfodi i chwilio amdanom, hyd yn oed yn ing a thrallod y groes. Duw cariad yw. Yn wir, mae perthynas Duw â ni yn fwy na chariad, *gras* Duw ar waith sydd yn ein cynnal, sef cariad at y sawl nad ydynt yn ei haeddu.

Ni wyddant?

'O Dad, maddau iddynt, oherwydd ni wyddant beth y maent yn ei wneud.' Sut y gellir esbonio'r ffaith nad oedd gelynion Iesu'n gwybod yr hyn roeddent yn ei wneud? Onid oedd marwolaeth drwy groeshoeliad yn beth cyfarwydd iddynt yn y cyfnod hwn? Roeddent, siŵr o fod, yn gwybod beth roeddent yn ei wneud? Ei wisgo mewn gwisg borffor, gosod mwgwd am ei lygaid, poeri arno, gosod coron o ddrain bigog am ei ben, plygu eu gliniau o'i flaen mewn gwrogaeth ffug, ei orfodi i gario'i groes i ben y bryn, cyrraedd Golgotha, cynnig gwin a gymysgwyd â myrr iddo er

mwyn ceisio lladd y boen – onid oeddent yn gwybod beth roeddent yn ei wneud?

Wedi'r profiad erchyll hwn dan law'r gelynion creulon hyn, beth wnaeth Iesu ond gweddïo am faddeuant iddynt *'oherwydd ni wyddant beth y maent yn ei wneud'*?

Pam felly, y gweddïodd Iesu am faddeuant iddynt am na wyddent yr hyn roeddent yn ei wneud, pan oeddent, mewn gwirionedd, *yn* gwybod yn iawn beth roeddent yn ei wneud? Ym mha ystyr roeddent *'heb wybod'*? Nid oeddent yn gwybod beth oedd *arwyddocâd* yr hyn a wnaethant. Oherwydd *'pe baent yn gwybod hynny, ni fuasant wedi croeshoelio Arglwydd y gogoniant'* (1 Corinthiaid 2:8).

Gweithredu heb wybod

Mae yna duedd ym mhob un ohonom i gyflawni gweithred o bryd i'w gilydd heb wybod beth all canlyniadau'r weithred honno'i olygu, e.e. taenu stori enllibus am rywun arall. Rydym ni hefyd, fel y bobl yn nyddiau Iesu, yn gwybod yn iawn beth rydym yn ei wneud, ond eto, ar ryw ystyr, nid ydym yn gwybod beth rydym yn ei wneud oherwydd nad ydym yn sylweddoli canlyniad ein gweithred. Nid ydym bob amser yn gwybod pa gynhaeaf a fedwn o ganlyniad i un weithred ddrwg. Cawn ein hunain yn ddall, nid dallineb corfforol sy'n dod i ran unigolion mewn ffyrdd naturiol sydd y tu hwnt i'n rheolaeth, ond dallineb deallus, meddyliol a moesol sy'n dod atom oherwydd inni gamddefnyddio'n rhyddid a methu â defnyddio'n meddwl i'w allu eithaf.

Mae cysylltiad naturiol rhwng y meddwl a'r galon. Ni all y galon fod yn iawn oni bai bod y meddwl yn iawn hefyd ac yn cael ei gyfeirio i'r cyfeiriad cywir. Nid oes angen cymwysterau academaidd disglair er mwyn cael meddwl iach, na bod yn athronydd ychwaith! Cariad at y Gwirionedd yw meddwl cywir.

Er nad ydym bob amser yn gwybod yr hyn rydym yn ei wneud, fe ddown, yn y pen draw i wybod, ac i sylweddoli. A chyda'r sylweddoliad hwnnw y daw euogrwydd llethol. Yr unig ateb i euogrwydd yw maddeuant.

Oherwydd ein ffolineb ysbrydol ni, ein diffyg dirnadaeth a'n dallineb y gweddïodd Iesu, *'O Dad, maddau iddynt oherwydd ni wyddant beth y maent yn ei wneud.'* Onid yw'n rhyfeddol meddwl mai maddeuant i ni oedd gweddi fawr Iesu cyn iddo gael ei groeshoelio? Rhyddhad o'n heuogrwydd ni.

'Euogrwydd fel mynyddoedd byd
dry'n ganu wrth y groes.'

Arwydd o'r maddeuant hwnnw yw'r Cymun. Amen.

Ymadroddion y Groes

Heddiw byddi gyda mi ym Mharadwys

'...heddiw byddi gyda mi ym Mharadwys' *Luc 23:43*

Fe gofiwch, yn yr Oedfa Gymun ddiwethaf, i ni ddechrau edrych ar rai o'r brawddegau olaf a ddaeth dros wefusau Iesu ar adeg ei ddioddefaint. Ac fe gofiwch hefyd i ni edrych yn benodol y tro diwethaf ar y frawddeg *'O Dad, maddau iddynt, oherwydd ni wyddant beth y maent yn ei wneud.'* Ymadrodd Offeiriad oedd yr ymadrodd cyntaf hwnnw, Iesu yn eiriol dros eraill. Ymadrodd Brenin yw'r ymadrodd a fydd dan sylw gennym heddiw sef, *'...heddiw byddi gyda mi ym Mharadwys'* (Luc 23:24).

Fe gofiwch fod yna ddau droseddwr, neu ddau leidr wedi'u croeshoelio un bob ochr i Iesu yn y lle a elwir Y Benglog y diwrnod hwnnw. Mae'n debygol fod yr awdurdodau wedi gosod Iesu i farw rhwng dau droseddwr yn fwriadol, a hynny er mwyn ei fychanu o flaen y bobl.

Ymadrodd a lefarwyd wrth un o'r ddau droseddwr a groeshoeliwyd gydag Ef yw'r geiriau *'heddiw y byddi gyda mi ym mharadwys'*.

Y ddau droseddwr

Mae'n debygol nad lladron yn ein hystyr ni i'r gair lleidr oedd y ddau a groeshoeliwyd gyda Iesu. Roeddent yn rhai a fu'n cynhyrfu'r dyfroedd yn eu dydd, yn chwyldroadwyr. Pobl â'u bryd ar gael gwared ar ormes Rhufain arnynt. Pobl a oedd yn awyddus i chwyldroi'r cwbl, ond er gwaethaf eu gweledigaeth glir a diffuant, aethant ymlaen â'u gwaith gan ddefnyddio dulliau trais a gormes – dulliau a arweiniodd at eu harestio a'u lladd. Gyda'r naill a'r llall yn crogi ar groes, trodd un ohonynt at Iesu a'i gablu, *'Onid ti yw'r Meseia? Achub dy hun a ninnau'* (Luc 23: 39). Ymatebodd y llall a'i geryddu, *'Onid oes arnat ofn Duw a thithau dan yr un ddedfryd? Iesu cofia fi pan ddoi i'th deyrnas'* (Luc 23:40,42).

Mae'n ddiddorol iawn nodi bod y ddau yn galw Iesu wrth ei enw cyntaf. Mair ei fam roddodd yr enw Iesu i'n Gwaredwr, ac yn wir, nid oes gennym dystiolaeth fod unrhyw un arall wedi'i gyfarch fel Iesu. Cyfarchwyd ef fel Meseia, Athro, Iesu fab Dafydd, Iesu o Nasareth, ond nid fel Iesu yn unig. Tybed a oedd y troseddwyr hyn yn ei adnabod yn bersonol?

Pethau'n gyffredin

Pa un a oeddent yn adnabod ei gilydd ai peidio, roedd ganddynt lawer yn gyffredin. Roedd y troseddwyr a Iesu yn wladgarwyr a'r tri ohonynt yn ceisio'u gorau i helpu eu cydwladwyr. Roedd y tri ohonynt â'u bryd ar ryddhau pobl o gaethiwed ac roedd y tri ohonynt yn barod i frwydro hyd yr eithaf dros yr hyn roeddent yn credu ynddo.

Ond er cymaint oedd yn debyg rhyngddynt, roeddent yn wahanol iawn i'w gilydd yn eu ffyrdd o frwydro. Arfau'r naill oedd trais a gormes. Arfau'r llall oedd cariad a maddeuant. Roedd gwaed yn llifo ar ffordd y naill a'r llall, ond gyda'r gwahaniaeth hwn – gwaed eraill a dywalltwyd gan y troseddwyr, ond tywallt ei waed ei hun a wnaeth Iesu.

Sylweddoli ffolineb

Daw i'r amlwg bod y troseddwyr wedi sylweddoli eu ffolineb. Bu'r ddau'n ddigon parod i gablu Iesu, ond trodd un ohonynt a chablu'i bartner. Cyfaddefodd ei euogrwydd. Yn wir, cyfaddefodd ei fod yntau a'i gyfaill yn llawn haeddu marwolaeth erchyll y groes. Ac fel pe na bai hyn ynddo'i hun yn ddigon, cyfaddefodd hefyd fod Iesu'n ddieuog. Caiff ei gofio yn arbennig am ei eiriau, *'Iesu, cofia fi pan ddoi i'th deyrnas'* (Luc 23:42) wrth iddo wynebu marwolaeth. Dyma'r gosodiad a arweiniodd at Iesu'n dweud, *'heddiw, byddi gyda mi ym Mharadwys'* (Luc 23:43).

Y bywyd yng Nghrist

Mae'r bywyd yng Nghrist yn fywyd yn y *presennol*: *'heddiw'* nid ddoe *'byddi gyda mi...'*. Nid rhywbeth sydd wedi digwydd yn y gorffennol, ond rhywbeth sydd yno ar ein cyfer ni heddiw, yn y presennol. Rhywbeth sydd yma nawr. Mae'n bywyd yng Nghrist yn *bersonol; '...byddi di..'*. Nid brawddeg gyffredinol sydd yma, ond rhywbeth cwbl bersonol. Ac mae'r bywyd yng Nghrist yn *barhaol*: *'...ym Mharadwys'*. Am byth. Ni all dim byd o gwbl dorri'r berthynas â Christ.

Paradwys

Mae'n siŵr gennyf i bod gan bob un ohonom ein syniadau ein hunain am baradwys. Ein tuedd yw meddwl am baradwys yn nhermau man lle ceir ein hoff bethau ni mewn bywyd. Paradwys i rai yw'r cwrs golff, ac i eraill ystafell yn llawn o lyfrau, ynys bell a thawelwch i rai a stryd o siopau sy'n ymestyn hyd dragwyddoldeb i eraill!

Ond gair Persaidd yw'r gair paradwys, a'i ystyr yw gardd wedi'i hamgylchynu â mur. Gardd arbennig. A phan fyddai Brenin Persaidd am roi rhyw anrhydedd arbennig i un o'i bobl, byddai'n gwahodd y person hwnnw i gerdded yr ardd yn ei gwmni. Ond yn ôl syniad Iddewig y cyfnod, paradwys oedd y man lle byddai'r rhai cyfiawn yn aros ar ôl eu marwolaeth, ac yn aros am yr atgyfodiad. A phan ddywedodd Iesu wrth y troseddwr hwn a oedd ynghrog ar y groes wrth ei ymyl, '*byddi di gyda mi ym Mharadwys*', yr hyn a olygai oedd ei fod ar ochr y rhai cyfiawn, ac yn perthyn *heddiw* i gymdeithas y cyfiawn.

Wrth i ni gymryd y bara ac yfed y gwin yma heddiw, rydym ninnau hefyd gyda'r cyfiawn ym mhedwar ban byd, yn aros i fwyta'r bara ac yfed y gwin er mwyn dangos, ac er mwyn cyhoeddi marwolaeth yr Arglwydd, hyd nes y daw.

Yn wir, tyred Arglwydd Iesu. Amen.

Ymadroddion y Groes

Wraig, dyma dy fab di... Dyma dy fam di

'Wraig, dyma dy fab di.....Dyma dy fam di' *Ioan 19 26–27*

Mae'r ymadrodd hwn yn ein cyfeirio ar unwaith at awyrgylch y teulu, yr uned bwysicaf mewn cymdeithas. Rhoddwyd lle amlwg i'r teulu ym mhatrwm byw yr Iddew. Credai'r Iddew fod y teulu'n sefydliad dwyfol. Rhoddwyd pwysigrwydd neilltuol iddo, a chredent fod y teulu uwchlaw popeth yn y gymdeithas grefyddol.

Yng nghyfnod yr Hen Destament, prif orchwyl y teulu oedd gofalu am yr addoliad. Yn wir, cafodd crefydd yr Hen Destament ei meithrin dan gysgod y cartref, felly roedd i'r teulu werth aruchel. Cofiwn hefyd mai un o'r Deg Gorchymyn yw, *'Anrhydedda dy dad a'th fam'* (Deuteronomium 5:16).

Ewyllys
Gyda'r teulu mewn cof, ac er mwyn gofalu am fuddiannau'r teulu i'n dyfodol, cawn ein hatgoffa'n bur aml am bwysigrwydd ysgrifennu ewyllys er mwyn sicrhau bod yr hyn rydym yn dymuno'i adael i'n perthnasau a'n ffrindiau, ar ôl ein dyddiau ni ar y ddaear hon, yn eu cyrraedd yn ddiogel a chyfreithlon.

Roedd Iesu Grist wedi ewyllysio gwahanol bethau i wahanol bobl. Roedd ei ewyllys olaf yn cynnwys tri pheth yn arbennig.

Tangnefedd
Yn gyntaf, gadawodd ei dangnefedd i'r disgyblion, *'Yr wyf yn gadael i chwi dangnefedd; yr wyf yn rhoi i chwi fy nhangnefedd i fy hun'* (Ioan 14:27). Mae gwahaniaeth rhwng tangnefedd a heddwch. Heddwch y nefoedd yw tangnefedd ac nid heddwch y byd. Mae'n ddymuniad gan bawb ohonom weld heddwch yn ein byd, hynny yw, gweld diwedd ar ryfel a gormes. Ond mae'n ddymuniad gennym hefyd i gael tangnefedd. Rhywbeth llonydd yw tangnefedd. Tra bo heddwch yn golygu ymwrthod

â rhyfel, mae tangnefedd yn ymwneud â'r galon. Mae'r tangnefedd mae Iesu yn ei ewyllysio i ni yn ymwneud â'n bywydau ysbrydol, ac yn rhoi cysur a thawelwch meddwl i ni.

Ni all y byd ddwyn y tangnefedd hwn oddi wrthym. Ni all tristwch, na pherygl na dioddefaint ei ddwyn. Mae tangnefedd yn annibynnol ar ein hamgylchiadau allanol. A dyna'r hyn mae Iesu yn ei adael i ni, '*Yr wyf yn gadael i chwi dangnefedd.*'

Dillad

Yr ail beth a adawodd Iesu Grist oedd ei ddillad i'r milwyr, '*cymerodd y milwyr ei ddillad ef a'u rhannu'n bedair rhan, un i bob milwr..*' (Ioan 19:23). Mae golgyfa'r milwyr yn bwrw coelbren am ei ddillad tra bo Iesu'n crogi ar y groes yn olygfa sy'n danfon ias drwom. Iesu mewn poen ingol, a'r milwyr wrth droed y groes yn gamblo am ei ddillad heb hidio dim amdano na thaflu'r un llygad i fyny ato. Y milwyr yn mynd ynglŷn â phethau materol heb fwrw golwg ar Iesu. Onid dyna yw un o drasiedïau mawr ein dyddiau ni, nid yn gymaint casineb yn erbyn Iesu Grist, ond bod pobl yn eistedd wrth droed ei groes heb fod amser ganddynt i fwrw golwg i fyny at Iesu a gweld cariad Duw'n pelydru drwyddo? Ac o beidio â gweld, peidio â rhyfeddu. Ac o beidio â rhyfeddu, peidio â'i addoli.

Ei fam

Yn ogystal â'r tangnefedd a'i ddillad, fe adawodd Iesu ei fam hefyd, a'i gadael i'r '*disgybl annwyl'*. Ni fedrwn ddychmygu'r boen yng nghalon Mair o weld ei mab ar y groes. Wrth weld ei fam, ac o ganol ei ing a'i ddioddefaint, dywedodd wrth y disgybl annwyl, '*Wele dy fam.*'

Rydym yn clywed am rai sydd yn rhoi eu tŷ mewn trefn cyn marw, ac mae awgrym yn y fan hon fod Iesu wedi gwneud rhywbeth tebyg. Un o'r pethau olaf a wnaeth yn ystod ei fywyd ar y ddaear hon oedd gwneud darpariaeth ar gyfer ei fam.

Mae lle i gredu mai gwraig weddw oedd Mair erbyn hyn a'r pryd hwnnw, fel heddiw, roedd bywyd yn medru bod yn anodd i'r weddw. Ond gwyddai Iesu fod un wrth law a allai fod o gymorth iddi, sef y disgybl roedd Iesu'n ei garu. Mae yna awgrym cryf mai Ioan, mab Sebedeus, oedd y disgybl hwnnw. Ni allwn lai na sylwi ar barch a gofal rhyfeddol Iesu Grist, a hynny yn awr ei ing ei hun, ei barch at yr un a ddaeth ag ef i'r byd. Nid oedd Iesu am adael ei fam ar drugaredd pobl ond, yn hytrach, roedd am wneud yn siŵr fod ei fam yn cael y gofal gorau posib.

Gofal

Mae gofal yn un o rinweddau pwysig Cristnogaeth ac yn thema amlwg drwy'r Efengylau. Dysgodd Iesu am ofal drwy ddamhegion, er enghraifft, Dameg y Samariad Trugarog. Yn Efengyl Ioan, mae Iesu'n sôn amdano'i hun fel Bugail Da yn gwarchod ei braidd. Tra bo'r lladron a'r ysbeilwyr yn byw *ar* ddefaid drwy eu lladrata mae'r gwas cyflog yn byw *drwy* ddefaid, gan nad ydynt yn ddim ond cyfrwng bywoliaeth iddo. Mae perthynas y Bugail Da â'r defaid yn gwbl wahanol. Byw *i'r* defaid a wna yntau. Ac mae byw i'r defaid yn golygu nid eu defnyddio, ond gofalu amdanynt.

Wrth inni nesáu at Fwrdd yr Arglwydd, rydym yn dathlu ac yn atgoffa'n hunain o ofal Duw trosom fel Bugail Mawr yn gofalu am ei braidd. Nid byw arnom na thrwom a wnaeth Duw yn Iesu Grist, ond byw *i* ni, a byw *er ein mwyn* ni. Byw a marw er ein mwyn.

Bydded i'w ofal Ef amdanom ni gael ei adlewyrchu yn ein gweddi ac yn ein gwaith, wrth i ni estyn dwylo at ein gilydd ac at ein cyfeillion ledled byd. Amen.

Ymadroddion y Groes

Gorffennwyd

'Gorffennwyd' *Ioan 19:30*

Ni fu prynhawn rhyfeddach yn hanes ein byd na'r prynhawn Gwener hwnnw pan groeshoeliwyd Iesu Grist ar fryn y tu allan i'r dref. Lle'r Benglog, Bryn Calfaria. Nid rhyw fryn gwyrddlas oedd y bryn hwn, ond bryn garw, creigiog, noeth lle roedd sbwriel dinas Jerwsalem yn cael ei daflu. Prin y gellid cerdded i awyrgylch creulonach, na tharo ar olygfa ffieiddiach. Eto, o ganol y griddfanau a'r melltithion, llefarwyd geiriau sydd bellach ymhlith trysorau pennaf ein llenyddiaeth Gristnogol, ac un o'r geiriau hynny oedd y gair *'Gorffennwyd'* (Ioan 19:30). Ond beth a orffennwyd? Beth a gwblhawyd?

Gyrfa Bywyd
Yn gyntaf, gorffennwyd gyrfa bywyd. Mae Marc, yn ei gofnod e o'r Croeshoeliad, yn dweud i Iesu lefaru â llef uchel, a bu farw. Ond mae Ioan wedi gofalu am gadw inni'r gair *'Gorffennwyd'*, neu Cwblhawyd.

Pwy lefarodd y gair *'Gorffennwyd'*? Ai'r milwyr? Wedi'r cwbl, roedd yr hyn y gorfodwyd hwy i'w wneud wedi'i orffen. Roedd eu gwaith wedi'i gwblhau. Y disgyblion? Onid oeddent hwythau wedi gadael popeth i ddilyn Iesu? Ac erbyn hyn roedd y cyfan ar ben, eu breuddwydion wedi'u chwalu a'u gobeithio wedi'u dryllio. Mair, mam Iesu? Pwy ohonom all ddod o hyd i eiriau i fynegi'r tristwch yng nghalon y fam hon? Y Phariseaid? Hawdd credu eu bod hwy wedi dweud *'Gorffennwyd'* a hwythau wedi bod yn drwm eu cyhuddiad o'r defodau a'r seremonïau crefyddol. Ai Pilat? Na, nid yr un ohonynt a lefarodd y gair *'Gorffennwyd'* ond y croeshoeliedig ei Hun, Iesu Grist. Gyrfa fer o 33 o flynyddoedd yn unig a gafodd, Eto, gwyddom nad yn ôl ei hyd mae mesur bywyd, ond yn ôl ei ddyfnder. Pan fu farw Methusela yn 969 oed, yr unig beth a ddywedir amdano yw, *'a bu farw'*. Ond mae Ioan, wrth dynnu'i Efengyl i derfyn, yn dweud am Iesu, *'Yr oedd llawer o arwyddion eraill, yn wir, a wnaeth Iesu ... nad ydynt wedi eu cofnodi yn y llyfr hwn'* (Ioan 20:30).

Pe bai pob un ohonynt yn cael ei gofnodi, ni fyddai'r byd yn ddigon mawr i ddal y llyfrau a fyddai'n cael eu hysgrifennu.

Er i'r llen ddisgyn ar ddrama bywyd daearol Iesu Grist pan oedd yn gymharol ifanc, nid oes neb wedi gadael ei ôl yn fwy ar fywyd dynolryw nag Ef ei hun. Ym mhob oes, mae rhywrai wedi dod wyneb yn wyneb â'r person rhyfeddol hwn. Mae William Williams Pantycelyn yn un ymhlith llawer o emynwyr sydd wedi torri allan i ganu'n orfoleddus,

> *'Os edrych wnaf i'r dwyrain draw,*
> *os edrych wnaf i'r de,*
> *ymhlith a fu, neu yntau ddaw,*
> *'does debyg iddo fe.'*

Gorffennwyd ei yrfa ym mlodau'i ddyddiau, ond mae'i wirioneddau'n parhau i egino a blaguro yng nghalonnau'i bobl hyd heddiw.

Gwaethaf Dyn

Gorffennwyd hefyd Waethaf Dyn. Un o nodau amgen y natur ddynol yw ei dawn i gyfnewid drwy'r amser. Creaduriaid oriog ydym ni. Weithiau'n oer ac weithiau'n frwd. Heddiw'n gyfeillgar, yfory'n elyniaethus. Gallwn godi i dir uchel aberth a chariad ond, yn unionsyth, gallwn ddisgyn yn isel i dir casineb a chreulondeb. Ac ni syrthiodd y ddynoliaeth yn is nag a wnaeth wrth groeshoelio'r puraf a'r addfwynaf a welodd y byd erioed. Nid bod Mab Duw wedi'i groeshoelio yw'r tristwch mwyaf, ond bod y fath beth â chroeshoelio'n digwydd.

Un peth yw teimlo dros Iesu, peth arall yw teimlo'r ffactorau a fu'n gyfrifol am ei farwolaeth. Ffactorau sydd ym mhob un ohonom, creulondeb, dallineb, ffolineb, ac ofn. Ofni'r Proffwyd. Ofni'r un a chanddo weledigaeth.

Drama gyfoes yw'r groes. Mae Crist yn cael ei groeshoelio gennym heddiw yn ein casineb a'n bychander, yn ein strwythurau gwleidyddol, economaidd a chymdeithasol – y systemau hynny sy'n hybu anghyfiawnder, trachwant a rhwygiadau. Golchodd Pilat ei ddwylo, ac efallai mai dyna yw hanes dynoliaeth hefyd, golchi'i dwylo o gyfrifoldebau. Ond fel Pilat, ofer fydd ein hymdrechion ninnau hefyd oherwydd bod gwaed arnynt.

Cyn i ni ddechrau gweld y groes fel rhywbeth a gafodd ei wneud trosom ni, rhai i ni'n gyntaf weld y groes fel rhywbeth a gafodd ei wneud gennym ni. Dim ond y sawl sy'n barod i gyfaddef ei ran yn euogrwydd y groes sydd â hawl i gael rhan yn y gras sydd ar gael iddo ar y groes.

Gorau Duw

Yno, ar fryn Calfaria y prynhawn Gwener creulon hwnnw yn hanes y byd, gorffennwyd Gyrfa Bywyd, a Gwaethaf Dyn, ac yn drydydd, gorffennwyd Gorau Duw. Ni fydd yn bosib i ni ddeall y groes oni bai ein bod yn deall bod Duw yno. Mae'r groes heb Dduw'n gwneud Iesu'n ferthyr yn unig. Mae'r groes â Duw ynddi'n gwneud Iesu'n Waredwr. Rhoddodd Duw ei orchmynion i ni; gwnaeth gyfamod â ni, ond yn ei Fab Iesu Grist rhoddodd ei hun drosom ni.

Tra bo rhai'n rhoi er mwyn derbyn yn ôl, ac eraill yn rhoi lle maent yn siŵr o dderbyn yn ôl, mae'r 'rhoi' sy'n nodweddu Duw'n rhoi heb ddisgwyl dim yn ôl. Rhoddodd Duw'r rhodd eithaf. Gorffennwyd gwaith ein prynedigaeth. Ond sentimentaliaeth noeth yw tybio nad oes eisiau inni wneud dim, gan fod y fuddugoliaeth wedi'i hennill.

Nid oes achubiaeth heb ufudd-dod. Nid oes cael heb roi. Nid oes Efengyl heb Ffydd. Nid oes gras heb bris. Mae'r Efengyl wedi'i rhoi i ni er mwyn i ni gael rhoi ein hunain i'r Efengyl.

Mae'r bwrdd wedi'i arlwyo gan fwyd ar ein cyfer. Ond rhaid ymateb i'r lluniaeth wrth ei gymryd a'i fwyta. Mae'r Efengyl wedi'i rhoi i ni, ond rhaid i ni ymateb i'r Efengyl drwy'i chofleidio a'i byw. Amen.

Ymadroddion y Groes

Fy Nuw, fy Nuw, pam yr wyt wedi fy ngadael?

'Fy Nuw, fy Nuw, pam yr wyt wedi fy ngadael?' *Marc 15:33–34*

Er ein bod ni'n gyfforddus yn siarad yn naturiol â Duw yn ein mamiaith, cofiwn mai Aramaeg oedd iaith naturiol Iesu Grist. Gwaetha'r modd, dim ond ychydig o eiriau ac ymadroddion yr iaith honno sydd ar ôl yn yr efengylau erbyn heddiw. Ymhlith yr ymadroddion hynny mae *'Abba'* sef *'Tad'*, *'Talitha cŵm'* sef *'Codi'* (yn hanes merch Jairus) ac *'Ephphatha'* sef *'Agorer di'* (yn hanes y dyn a oedd yn ddall ac yn fyddar).

Ymadrodd arall yn yr iaith Aramaeg yw *'Eloi, Eloi, lema sabachthani'*. sy'n cyfieithu i *'Fy Nuw, fy Nuw, pam yr wyt wedi fy ngadael?'* Gwaedd o'r groes. Gwaedd o ddyfnder y tywyllwch sy'n gorchuddio'r ddaear. Gwaedd sy'n arwydd o ing corfforol ac ysbrydol y gŵr ar y groes. *'The cry of dereliction'* meddai un esboniad Saesneg, sy'n awgrymu llong wedi'i gadael ar greigiau rhyw draeth, heb gapten, heb griw, heb gwmpawd a heb angor – a'i gadael ar ei phen ei hun. Cafodd Iesu ei adael ar ei ben ei hun hefyd. Trodd ei ffrindiau a'i ddisgyblion eu cefnau arno. Ac yntau erbyn hyn ar ei groes, roedd Iesu wedi syrthio i ddyfnderoedd isaf y profiad o ddioddefaint dynol nes iddo deimlo bod hyd yn oed Duw ei hun wedi cefnu arno, ac wedi'i adael.

Salm 22
Mae rhai'n credu mai dyfynnu geiriau agoriadol Salm 22 a wnaeth Iesu wrth adrodd y geiriau hyn, ac y dylid meddwl yn nhermau'r Salm gyfan sy'n gorffen yn fuddugoliaethus iawn. Mae ambell un arall wedi mynd gam ymhellach ac awgrymu bod holl bechod y byd, am un foment arswydus, wedi dod fel cwmwl tywyll rhwng Iesu a gogoniant ei Dad nefol.

'Pam yr wyt wedi fy ngadael?' Dyna i chi air rhyfedd yw'r gair *'pam?'* Dyma un o'r cwestiynau cyntaf mae pob plentyn bron yn dysgu'i ofyn. Ac yn aml iawn mae'n haws ateb cwestiynau pobl hŷn nag ateb

cwestiynau'r ifanc! Mae'r cwestiynau sy'n dechrau gyda'r gair *'paham'*, ac sy'n cael eu cyfeirio at Dduw, yn gwestiynau gan amlaf sy'n codi o ddyfnder ingol profiad.

Gofynnwyd *'paham'* gan Job. Paham mae'r cyfiawn yn dioddef? Ac mae *'paham'* poen a dioddefaint ar dafod pawb ohonom o bryd i'w gilydd. Nid oes neb yn mynd trwy fywyd heb fod poen a dioddefaint yn dod ar eu traws rywbryd ar hyd y daith. Daw atom mewn gwahanol ffyrdd ac mewn gwahanol wisgoedd – afiechyd, iselder, diweithdra, galar, torpriodas, unigrwydd ac amgylchiadau personol eraill, ynghyd â dioddefaint ar lefel fyd-eang, corwyntoedd, daeargrynfeydd, llifogydd, newyn, rhyfel a thrais. Ac o ddyfnder ingol ein gofid a'n pryder am sefyllfaoedd sy'n peri loes inni mae'r cwestiwn *'paham?'* yn cael ei gyfeirio, o bryd i'w gilydd, at Dduw.

Nid yw'r Beibl yn cynnig esboniad llwyr ynglŷn â chwestiwn dioddefaint. Pwrpas Gair Duw yw, nid esbonio gwraidd problemau, ond bod yn gymorth i ni wynebu'r problemau a cheisio dod drostynt. Nid cyfrol athronyddol yw'r Beibl, ond cyfrol ymarferol. Llyfr gwaith. Llawlyfr i'n cynorthwyo ar daith bywyd.

Ni chafodd Job ateb i'w *'pam?'* ef. Ond fe gafodd *ymateb,* a'r ymateb hwnnw yw buddugoliaeth ffydd: *'Gwn fod fy amddiffynwr yn fyw'.*

Er i Iesu, wrth grogi ar groes yn hanner marw y prynhawn Gwener tywyll hwnnw ofyn, *'Fy Nuw, pam yr wyt wedi fy ngadael?',* ni chafodd ei ffydd ei hysgwyd. Ni siglwyd ei ymlyniad wrth Dduw, *'Fy Nuw, fy Nuw'.* Nid *'O Dduw'* ond *'Fy Nuw'.* Mae Iesu mewn perthynas bersonol ag ef er gwaethaf ei ddioddefaint.

A chyhyd ag y gallwn ni feddwl am Dduw fel *fy* Nuw, fe ddown i wybod ei fod Ef gyda ni, yn perffeithio'i nerth yn ein gwendid, a'i lwyddiant yn ein methiant am byth. Amen.

Ymadroddion y Groes

Mae syched arnaf

'Y mae syched arnaf' *Ioan 9:28*

Mae pawb ohonom yn gwybod sut brofiad yw bod yn sychedig. Nid oes pangfeydd gwaeth na phangfeydd syched. Haws goddef newyn na goddef syched. Ac o'i groes, fe ddywedodd Iesu, *'y mae syched arnaf'*. Mab Duw yn dyheu am ychydig o ddŵr i wlychu'i wefusau ac i oeri'i dafod.

Dyndod Crist

Tuedd rhai pobl yw edrych ar Iesu fel dyn arbennig iawn ac fel person perffaith yn unig, er eu bod yn amharod iawn i'w alw'n Fab Duw. Maent yn dewis pwysleisio'r ochr ddynol iddo ar draul ei dduwdod. Ond yn ôl yn nyddiau Ioan, y duedd oedd pwysleiso'i ochr dduwiol ar draul y dynol. Roedd pobl yn cael trafferth i gredu bod Duw yn gallu datguddio'i hun mewn person o gig a gwaed. Ac mae'n bosib mai ceisio lladd amheuon pobl ei gyfnod a wna Ioan drwy bwysleisio mai person, fel ninnau, oedd Iesu, gan bwysleisio hyn drwy ddweud bod Iesu'n cael ei lethu gan syched adeg ei ddioddefaint.

Mae'n bosib bod Ioan wedi gweld awgrym o'r syched dioddefus yn Ysgrythurau'r Hen Destament. Ceir y cyfeiriad hwn yn Salm 22; *'y mae fy ngheg yn sych fel cragen, a'm tafod yn glynu wrth daflod fy ngenau'*, ac mae awdur Salm 69 yn sôn am ei elynion yn *'gwneud i mi yfed finegr at fy syched.'*

Syched ar Iesu

Onid oedd syched ar Iesu ar hyd ei weinidogaeth? Ac nid bob amser syched am ddŵr, ond hefyd syched am dynnu pobl yn nes at Dduw, syched am ddilynwyr newydd, a syched am achub pobl o'u cyflwr truenus. Hanes achub yw hanes Cristnogaeth. Duw yn galw'i bobl ac yn eu gwaredu.

Cyfrwng Iesu i achub pobl yw'r Eglwys. Nid Capel sy'n achub; adeilad marw yw Capel, ac nid yr Eglwys sy'n achub. Crist sy'n achub, a chyfrwng achub yw'r Eglwys, sef y cwmni byw o bobl a alwyd gan Grist. Cyfrwng Crist i ddod â phobl i gymod â Duw yw'r Eglwys.

Roedd syched ar Iesu ar ei groes, ond roedd syched arno ar hyd ei fywyd, ac mae syched arno o hyd, i achub llawer mwy.

Iesu'n creu syched

Yn ogystal â bod yn sychedig, mae Iesu hefyd yn creu syched. Un o'r teithiau rhyfeddaf a wnaeth Iesu oedd y daith honno drwy Samaria. Tra oedd ar y daith, daeth Iesu at ffynnon lle roedd gwraig yn tynnu dŵr ganol dydd. Byddai eraill o'i thraddodiad hi wedi gadael tynnu'r dŵr tan yn ddiweddarach yn y dydd pan fyddai'r haul wedi machlud, ond torrodd hon ar draws y traddodiad a thynnu dŵr ganol dydd. Wedi cwrdd â'r wraig, cawn gofnod hyfryd o'r sgwrs a fu rhyngddi a Iesu. Testun eu sgwrs oedd dŵr, a manteisiodd Iesu ar y cyfle, yno wrth ymyl y ffynnon, i sôn wrth y wraig am fath arall o ddŵr, sef dŵr bywiol. Cymaint oedd dylanwad ei eiriau ef arni fel y crëwyd syched ynddi hi am y dŵr hwn roedd Iesu'n sôn amdano, ac meddai wrtho, *'.. rho'r dŵr hwn i mi, i'm cadw rhag sychedu a dal i ddod yma i dynnu dŵr'* (Ioan 4:15).

Llwyddodd Iesu i greu syched ynddi. Ym mhob oes, mae pobl wedi sychedu am bob math o ddyfroedd ac nid yw'r oes hon yn wahanol. Prin fod y dyfroedd maent yn drachtio ohonynt yn torri'u syched.

Mae'r Bwrdd Cymun sydd o'n blaen heddiw'n fwrdd ag arno win bywiol. A'r gwin hwn yn fynegiant o gariad Duw atom yn Iesu Grist. Y cariad hwnnw sydd yn peri i ni sychedu amdano.

Iesu yn torri syched

Mae Iesu nid yn unig yn creu syched ond hefyd yn torri syched. Os ydym yn gwybod yn iawn am y profiad o fod yn sychedig, fe wyddom yn iawn hefyd am y profiad o ryddhad a gawn wrth inni lyncu dŵr i dorri'n syched. Cawn brofi'r un rhyddhad yn union wrth i Iesu, Bara'r Bywyd a'r Dŵr Bywiol, afael ynom.

Rhaid cael bara a dŵr mewn bywyd – un i dorri newyn a'r llall i dorri syched. Creaduriaid anghenus iawn ydym ni, mae angen rhywbeth arnom drwy'r amser! Ond ein syched dyfnaf, p'run bynnag a ydym yn barod i gydnabod hynny ai peidio, yw ein syched am Dduw.

Un o'r delweddau hyfrytaf yn Llyfr y Salmau yw lle bydd yr awdur yn cyffelybu'i ddyhead am Dduw i'r darlun o'r ewig yn dyheu am *'ddyfroedd rhedegog, felly y dyhea fy enaid amdanat ti o Dduw'* (Salm 42: 1). Gallwn yn hawdd ddychmygu'r ewig yn crwydro'r tir anial a'i geg yn sych, ac yn crwydro â'i ben i lawr yn chwilio am ychydig o ddŵr o ryw nant fach i wlychu'i geg, ac er mwyn ei gadw'n fyw. Chwilio am yr ychydig ddŵr angenrheidiol ar gyfer ei gynhaliaeth. Mae'r Salmydd yn dyheu am gwmni Duw ar gyfer ei gynhaliaeth ef, yn union fel roedd yr ewig yn dyheu am ychydig o ddŵr. Mae angen y Salmydd yn angen i ni ar gyfer ein cynhaliaeth heddiw hefyd. Yn Iesu y cyflenwir yr angen hwnnw.

Pan fydd y newynog yn gweiddi am fara; y sychedig yn gweiddi am ddŵr; y caeth yn gweiddi am ryddid; y pechadur yn gweiddi am faddeuant ... gweiddi am angenrheidiau bywyd a wnânt, ac nid am foethau bywyd. Crist yn unig sy'n medru cyfarfod â'r angenrheidiau hynny. Amen.

Ymadroddion y Groes

O Dad, i'th ddwylo di

'**O Dad, i'th ddwylo di yr wyf yn cyflwyno fy ysbryd**' *Luc 23:46*

Mae'r geiriau olaf sy'n cael eu llefaru gan berson cyn ei farwolaeth yn aml yn eiriau sydd nid yn unig yn eiriau i'w cofio a'u trysori ond hefyd yn eiriau a all ddweud llawer wrthym am gymeriad a phersonoliaeth y person ei hun, ac yn adlewyrchiad o sut y bu'r person fyw. Gall y geiriau fod yn rhai tyner a chariadus, neu'n rhai ag elfen o ofn neu ansicrwydd ynddynt.

Marw fel byw

Wrth ddod at y geiriau olaf a lefarodd Iesu o'r groes adeg ei ddioddefaint, maent yn sicr yn dweud llawer wrthym nid yn unig am sut y bu Iesu farw, ond hefyd sut y bu Iesu fyw. Fel rheol, mae pobl yn marw fel maent wedi byw. Does dim byd yn yr act o farw sy'n gwneud pobl ddrwg yn dda, neu sy'n gwneud pobl dda'n ddrwg. Ac eithrio marwolaethau ag elfen o sydynrwydd neu drasiedi yn perthyn iddynt, mae pobl gan amlaf yn marw fel maent wedi byw. Ac mae hyn yn hollol wir am Iesu Grist. Nid oedd Iesu yn un peth mewn bywyd ac yn rhywbeth gwahanol mewn marwolaeth. Roedd ei fywyd a'i farwolaeth yn un cyfanwaith tebyg i'r wisg ddiwnïad y bu'r milwyr yn bwrw coelbren amdani.

Bu Iesu fyw trosom cyn marw trosom. Roedd ei enedigaeth, ei weinidogaeth, ei ddysgeidiaeth, ei ddioddefaint a'i farwolaeth a phopeth arall a oedd yn perthyn i'w fywyd, trosom ni. Roedd ei fywyd cyfan trosom ni. A diwedd ei fywyd daearol yn agosáu, mae Iesu'n cyflwyno'i hun yn ôl i Dduw, *'i'th ddwylo di o Dad, y cyflwynaf fy ysbryd'.*

Salm 31

Nid ymadrodd wedi'i lunio yn y fan a'r lle yw'r geiriau olaf hyn o eiddo Iesu. Dyfyniad a geir yma o Salm 31. *'Ynot ti, Arglwydd, y ceisiais loches ... Cyflwynaf fy ysbryd i'th law di; gwaredaist fi, Arglwydd, y*

Duw ffyddlon.' Yn ei awr olaf, fe drodd Iesu at lyfr emynau'i bobl, sef Llyfr y Salmau. Mae'n wir bod pobl Iesu ar hyd y canrifoedd wedi troi at emyn am gysur, am ddiddanwch, am nerth a gobaith. Mae hadau'r emynau a blannwyd yn ein cof a'n calon yn ifanc iawn yn ein bywydau yn blaguro wrth inni dyfu'n hŷn, ac yn tyfu'n goed, a changhennau eu penillion a'u cwpledi'n ein cynnal a'n cysgodi trwy'n bywyd.

Gweddi

Byddai Iesu wedi dysgu'r ymadrodd hwn o Lyfr y Salmau fel gweddi hwyrol, gweddi cyn iddo fynd i gysgu pan oedd yn blentyn o Iddew. Gweddi o ymddiriedaeth lwyr yn Nuw. Gweddi debyg i'r weddi oesol a ddysgwyd i gymaint ohonom ei hadrodd cyn i ninnau, pan oeddem yn blant fynd i gysgu;

> *'Rhof fy mhen i lawr i gysgu,*
> *Rhof fy ngofal i Grist Iesu,*
> *Os byddaf farw cyn y bore*
> *Duw a dderbyn f'enaid inne.'*

'O Dad, i'th ddwylo di y cyflwynaf fy ysbryd', meddai Iesu yn ei weddi olaf. Pa ffordd well o fynd i gysgu na gwybod am y gofal sydd trosom.

Dwylo

Ond y mae un gair o wahaniaeth rhwng y weddi fel y llefarwyd hi gan Iesu ar y groes a'r hyn a geir yn y Salm. Tra bo'r Salmydd yn dweud *'Cyflwynaf fy ysbryd i'th law di'* mae Iesu'n ychwanegu *'O Dad, i'th ddwylo di y cyflwynaf fy ysbryd'.*

Dwylo Tad yw dwylo Duw. Nid oes dwylo cadarnach na dwylo Duw. Ni fu dwylo mwy diogel erioed. A chan wybod hynny y gweddïodd Iesu adeg ei farwolaeth y weddi a weddïodd yn ystod ei fywyd *'O Dad, i'th ddwylo di y cyflwynaf fy ysbryd'.*

A chan ddweud hyn, bu farw. Amen.

Cymun Nos Iau Cablyd

Gyda'r nos

'Gyda'r nos yr oedd wrth y bwrdd, gyda'r Deuddeg' *Mathew 26:20*

Tua chanol y ganrif ddiwethaf cynhyrchwyd ffilm dan y teitl *'A night to remember'*. Roedd y ffilm yn seiliedig ar gyfrol o'r un teitl. Y noson y cyfeirir ati yn y gyfrol fel yn y ffilm yw nos Sul y pedwerydd ar ddeg o Ebrill, 1912. Y noson honno trawodd llong y Titanic – yr 'ansuddadwy' fel y disgrifiwyd hi – yn erbyn mynydd rhew awchlym a suddo i waelod y môr. Roedd 2,300 ar ei bwrdd; boddwyd 1635 yn y fan a'r lle. Ymhen ychydig ddyddiau wedyn ymddangosodd dau lun o'r drychineb arswydus hon yn un o bapurau dyddiol America. Dangosodd un ohonynt y llong yn chwalu fel plisgyn ŵy bregus, ac oddi tano'r geiriau *'The weakness of man, the supremacy of nature'* – gwendid dyn, goruchafiaeth natur. Roedd y llall yn dangos un o'r teithwyr yn camu'n ôl i roi'i le yn y bad achub olaf i fam â phlentyn yn ei breichiau. O dan y llun hwnnw ysgrifennwyd *'the weakness of nature, the supremacy of man'* – gwendid natur, goruchafiaeth dyn. Ie'n wir, *'A night to remember'*. Ac mae'n siŵr gennyf fod yna nosweithiau eraill sy'n aros yn y cof am resymau amrywiol – rhai'n nosweithiau gyda goblygiadau trist a thrychinebus fel yn hanes y Titanic.

Ond mae yna nosweithiau eraill y mae iddynt oblygiadau cadarnhaol a gobeithiol – a phob un ohonynt yn *'noson i'w chofio'*. Ond mae yna un noson yn arbennig. Un o'r nosweithiau mwyaf tyngedfennol yn hanes dynoliaeth. Y noson y bwytaodd Iesu y Swper Olaf gyda'i ddisgyblion yn yr Oruwchystafell, ac iddo, wedi diolch, roi iddynt fara a gwin a dweud wrthynt *'Cymerwch bwytewch, yfwch er cof amdanaf'*. Dyna oedd noson i'w chofio. Noson ag arni gysgod y groes.

Ac ni allwn beidio â chofio'r noson honno yn yr Oruwchystafell heb gofio yr un pryd am Iesu Grist, y prynhawn Gwener hwnnw, yn dioddef angau loes yn ufudd ar y bryn. O'r bryn hwnnw, bryn Calfaria, y gwelwn ni ystyr y bara a'r gwin, y bwyta a'r yfed. Ac o'r herwydd ni fu pryd o fwyd tebyg i'r pryd bwyd yn yr Oruwchystafell.

Pris

Yn gyntaf, oherwydd ei bris. Pris y pryd bwyd. Roedd yn bryd bwyd y talwyd yn ddrud iawn amdano. Wedi iddo dorri'r bara fe ddywedodd Iesu *'hwn yw fy nghorff sydd er eich mwyn chwi'*. Ac ar ôl bwyta cymerodd Iesu'r cwpan gan ddweud, *'y cwpan hwn yw'r cyfamod newydd yn fy ngwaed i'*, a hwnnw'n gwpan a yfodd i'r gwaelod ei hun ar ben Calfaria. Nid cwpan y chwenychodd amdano, ond cwpan a ddewisodd, mewn ufuddod i ewyllys Duw. Yng Ngethsemane, a'i chwys fel defnynnau o waed, *'Abba! Dad!'* meddai, *'y mae pob peth yn bosibl i ti. Cymer y cwpan hwn oddi wrthyf. Eithr nid yr hyn a fynnaf fi, ond yr hyn a fynni di.'* (Marc 14:36).

Wrth feddwl am fwyd, fe feddyliwn yn naturiol am y sawl sy'n ei baratoi, a meddwl am y rysáit a'r dwylo a fu wrth y bwyd. Yn sicr, ni fu resipi rhagorach erioed i gael bywyd yn ei holl gyflawnder na'r resipi a roddodd Iesu inni yn ei ddysgeidiaeth; ac fe roddodd hefyd rywbeth aruthrol fwy na chyfarwyddiadau ac anogaethau: *'Fe roes ei ddwylo pur ar led'*.

Fe'n prynwyd ni'n rhad, heb ofyn dim i ni, ond fe'n prynwyd ni'n ddrud hefyd oherwydd prynwyd ni am bris – y pris a dalwyd ar y groes.

Gwahoddiad

Er bod y pryd bwyd yn un y talwyd yn ddrud amdano, eto, yn ail, mae'n bryd bwyd y gwahoddir ni i gyfranogi ohono.

Pan awn ar ein gwyliau ac aros mewn gwesty, cawn y mwynhad o eistedd wrth y bwrdd a derbyn yn ddiolchgar yr hyn sydd arno. Profiad tebyg oedd i'r disgyblion yn yr Oruwchystafell hefyd. Doedd ganddyn nhw ddim byd i'w wneud â'r Swper Olaf. Y cyfan roedd angen iddynt ei wneud oedd trefnu ystafell i'w gynnal. Doedd dim angen iddynt feddwl am wneud bwyd! Roedd y Gwesteiwr mawr ei hun wedi gofalu am y bwyd, ac wedi'i roi iddynt, gan eu *gwahodd* i'w fwyta ac yfed.

Gwahoddiad yw'r Efengyl yn bennaf oll. Gwahoddiad ac nid delfryd inni ymgyrraedd ati neu gyfres o reolau i'w cadw. Newyddion da yw'r

Efengyl bod y pris wedi'i dalu, ond nid yw hynny'n golygu nad yw'r Efengyl yn gofyn llawer oddi wrthym; gofyn am ein ffyddlondeb a'n teyrngarwch i Grist, gofyn inni garu'n gilydd, gofyn inni weddïo dros y rhai sy'n gwneud niwed i ni, gofyn y cyfan oddi wrthym ni. Ond yn rhagflaenu pob gofyn mae'r rhoi, ac yn annatod wrth y rhoi mae'r gwahoddiad inni gyfranogi o'r bwyd a baratowyd inni.

Byw

Mae'r swper hwn hefyd yn bryd bwyd y gallwn fyw arno. I'n ffydd ni, arwyddion allanol yw'r bara a'r gwin o addewidion grasol Duw i ni yn Iesu Grist. Crist yw bara'r bywyd. Cafodd ei eni mewn Tŷ Bara – dyna yw ystyr yr enw Bethlehem. Bara'r bywyd yn cael ei eni mewn tŷ bara. Ef hefyd yw'r dŵr bywiol. A daeth er mwyn i ni gael bywyd a'i gael yn ei holl gyflawnder.

Pan gyfarchodd Iesu'i ddisgyblion a gofyn a oeddent hwythau hefyd yn dymuno'i adael, fel y gwnaeth y gweddill, atebodd Pedr – Pedr fyrbwyll a gwyllt ei natur, 'action man' y disgyblion – *'Arglwydd, at bwy yr awn ni? Y mae geiriau bywyd tragwyddol gennyt ti...'* (Ioan 6:68).

Nid bywyd sy'n fwy ac yn brydferthach mo'r bywyd hwnnw; mae'n fywyd gwahanol, ac yn fywyd na all neb ohonom ei gynhyrchu i ni'n hunain. Duw yw cynhyrchydd y bywyd hwn – y bywyd godidog mae llu o bobl ym mhob cyfnod wedi'i brofi; pobl a'u bywyd wedi'i drawsnewid yn llwyr, disgleirdeb Crist ar eu gruddiau a dimensiwn y tragwyddol ar eu calonnau.

Bu Saul yn chwythu bygythion angheuol yn erbyn disgyblion yr Arglwydd ond fe ddaliwyd yntau gan Grist ar y ffordd i Ddamascus gyda'r canlyniad i Saul yr erlidiwr droi'n Paul yr Apostol. *'I mi, Crist yw byw'*, meddai Paul. Ac ie, gallwn fyw'n llawn arno.

Gyda'r nos yr oedd Iesu wrth y bwrdd gyda'r Deuddeg; cymerodd fara, cymerodd y cwpan a'u rhoi iddynt. *'Bwytewch ac yfwch* 'meddai, 'er cof amdanaf.' 'Ac wedi iddynt ganu emyn, aethant allan i Fynydd yr Olewydd.' Y swper yn troi'n gân.

Ie, o bob noson, *'A night to remember.'* Amen,

Cymun Gwener y Groglith

Coed

Ymhlith y pethau sy'n amlwg ar dirlun ein gwlad, ac sy'n angenrheidol i fywyd, mae coed. Gwelwn amrywiaeth ohonynt yn harddu'r wlad. Mae coed yn cysgodi, yn ychwanegu ocsigen at yr awyr. Mae eu gwreiddiau yn y tir, a'u pren yn cael ei ddefnyddio i sawl pwrpas.

Mae i goed le amlwg yn yr Ysgrythurau hefyd. Digwyddodd llawer o bethau pwysig ac arwyddocal iawn yng nghysgod y goeden. Er iddi gael ei rhybuddio, ildio i'r demtasiwn o fwyta ffrwyth o'r goeden yng nghanol yr ardd a wnaeth Efa, a bu canlyniadau'r weithred honno'n fawr.

Roedd Abrham yn eistedd dan goeden dderwen pan ddywedodd yr Arglwydd wrtho y byddai'n cael mab. Ceir cyfeiriadau amrywiol eraill yn Y Beibl at bob math o goed, olewydd, sycarmorwydden, pomgranadau, heb anghofio'r palmwydd. Wrth broffwydo am y diwrnod y byddai'r Arglwydd yn teyrnasu dros y ddaear meddai Eseia *'bydd holl goed y maes yn curo dwylo'* (Eseia 55:12).

Heddiw, ar Ddydd Gwener y Groglith, meddyliwn am y digwyddiadau arwyddocaol a oedd yn rhan o wythnos olaf bywyd daearol Iesu, a sylwn fod coeden yn gysylltiedig â phob un ohonynt, o Jerwsalem i Golgotha.

Palmwydd

Cychwynnodd ei daith olaf o fynydd, Mynydd yr Olewydd gyferbyn â Jerwsalem. O'r fan honno y bu iddo gerdded i ddinas Jerwsalem, ac ymdeithio'n fuddugoliaethus i mewn iddi; y digwyddiad y cofiwn amdano ar Sul y Blodau.

Ac ar y daith honno, roedd coed, sef palmwydd. Coed cryf ond ystwyth a oedd yn tyfu mewn niferoedd mawr yn y fro. Croesawyd Iesu i'r ddinas sanctaidd wrth i'r dyrfa daflu eu mentyll, a thaflu brigau o goed palmwydd ar y ffordd o'i flaen, tra oeddent yn gweiddi *'Hosanna i Fab Dafydd'.*

Gwnaed ymdrech fawr i ddod i'w groesawu, ac i syllu ar yr un a fyddai, yn eu tyb nhw, yn arweinydd crefyddol newydd eu dydd, yn Frenin ac yn Feseia. Onid oeddent wedi clywed pethau mawr amdano? Ei fod wedi bwydo pum mil o bobl gyda dau bysgodyn a phum torth o fara; wedi iacháu pobl ... a hyd yn oed wedi atgyfodi un o'r meirw.

Medrwn synhwyro'r cyffro yn y dorf. Medrwn ddychymgu'r sawl oedd yn sefyll yn y cefn yn codi ar flaenau eu traed er mwyn cael gwell golwg ar y gŵr rhyfeddol hwn. Ac ymhleth yn y cyffro a'r croeso, mae brigau o goed palmwydd yn palmantu'r ffordd i'r brenin.

Y Ffigysbren

Golygfa gyfarwydd ar dirlun Palesteina oedd coed ffigys. Gyda hinsawdd cynnes Palestina, fe fyddai'r ffigysbren yn dwyn ffrwyth ddwywaith y flwyddyn: yn gynnar, a'r ffrwyth yn tyfu o'r hen bren, h.y. o bren y flwyddyn flaenorol, ac yn ddiweddarach, yn tyfu o'r pren newydd. Byddai peth o'r ffrwyth yn tyfu ac yn cwympo o'r goeden, tra byddai'r ffrwyth gorau'n llwyddo i ddal gafael ar y brigau ac yn cael ei adnabod am ei flas melys.

Y bore wedi'r ymdaith fuddugoliaethus i mewn i'r ddinas Sanctaidd roedd Iesu yng nghwmni ei ddisgyblion. Mae'n bosib fod Iesu wedi treulio peth amser yn gweddïo ar ôl digwyddiad y diwrnod cynt, ac yn wir, erbyn y bore wedyn, roedd chwant bwyd arno. Gwelodd ffigysbren wrth ochr y ffordd, ond wrth i Iesu nesáu at y goeden, fe welodd nad oedd ffrwyth arni o gwbl, dim ond dail yn unig.

Er bod y goeden yn ymddangos fel petai'n llawn ffrwyth, nid oedd unhyw sylwedd iddi mewn gwirionedd. Dail yn unig oedd arni. Tebyg iawn i'r gymuned Iddewig ar y pryd a oedd yn ymddangos yn grefyddol ond yn dlawd iawn yn ysbrydol. Melltithiodd Iesu'r ffigysbren fel arwydd o felltith ar y gymuned. *'Na fwytaed neb ffrwyth ohonot byth mwy.'*

Y bore canlynol, yr ail fore, wrth i'r disgyblion gerdded heibio i'r goeden, fe sylwyd ei bod yn gwywo o'r gwraidd. Defnyddiodd Iesu'r ddelwedd hon o'r ffigysbren wedi gwywo i ddysgu gwers bwysig iawn am bwysigrwydd ffydd. Melltithiwyd y ffigysbren am iddi beidio â dwyn ffrwyth. Dysgir gwers bwysig gan Iesu ynglŷn â phwysigrwydd tyfu yn y ffydd ac yng ngwybodaeth yr Arglwydd. Gadewn iddo yntau afael ynom er mwyn magu ynom ffrwythau'r Ysbryd.

Mae Iesu'n gweld yn nhlodi'r ffisygbren dlodi ysbrydol y gymuned Iddewig. Mae yn y ffigysbren ddiffrwyth rybudd pwysig ynglŷn â'n gweithredoedd hunanol, yn atal Ysbryd Duw rhag datblygu'i ffrwyth yn ein bywydau ni.

Olewydd

Yn ogystal â'r Palmwydd a'r Ffigysbren ceir cyfeiriad hefyd at goeden yn yr hanes am ymweliad Iesu â gardd Gethsemane. Wrth wynebu argyfwng yn ei fywyd, yr hyn a wnaeth Iesu wrth ymladd ei frwydr ysbrydol oedd penlinio dan goeden Olewydd. A'r frwydr? Ei ewyllys ef ac ewyllys ei Dad nefol.

Ystyr yr enw Gethsemane yw 'gwasgu (neu wasgydd) olew'. *Oil press.* Roedd coed Olewydd yn amgylchynnu Iesu yng ngardd Gethsemane wrth iddo frwydro mewn gweddi. Ac yn yr ardd honno, roedd Iesu'n cael ei wasgu, yn wir, yn cael ei dorri wrth gyflawni ewyllys ei Dad yn union fel mae ffrwyth yr Olewydd yn cael ei dorri a'i wasgu er mwyn cynhyrchu olew Olewydd.

'O Dad, cymer y cwpan hwn oddi wrthyf...' Nid cwpan a chwenychodd ond cwpan a ddewisodd, mewn ufuddod i ewyllys Duw. Yng Ngethsemane a'i chwys fel defnynnau o waed, *'O Dad'* meddai, *'y mae pob peth yn bosibl i ti. Cymer y cwpan hwn oddi wrthyf, oherwydd nid yr hyn a fynnaf fi ond yr hyn a fynni di.*

Wynebodd Iesu'r frwydr ar ei ben ei hun. Roedd hyd yn oed ei ddisgyblion y gofynnodd iddynt weddïo gydag ef yn cwympo i gysgu. Pan gychwynnodd ar ei weinidgaeth, roedd tyrfaoedd yn ei ddilyn i bob man. Fe gofiwn fod pum mil o bobl wedi bod yn ddigon balch i gael eu bwydo ganddo beth amser cyn hyn. Ond wrth i Iesu gychwyn sôn am anghenion ei ffordd ef o fyw, trodd pawb oddi wrtho gan ei adael ar ei ben ei hun. Pan oedd ei angen ef arnyn nhw, roedd Iesu yno. Ond pan oedd eu hangen nhw arno Ef, roedd ar ei ben ei hun. Cyn i'r hoelion fynd trwy'i ddwylo, fe aethant trwy'i galon yn gyntaf.

Yng ngardd Gethsemane, dan y goeden olewydd, bu'n rhaid i Iesu ildio i ewyllys Duw. Mae ildio i ewyllys Duw'n dal i fedru bod yn beth anodd iawn i'w wneud, a hynny oherwydd nad ydym ni, yn aml iawn yn deall ei ewyllys. Mae ei ewyllys ef yn wahanol i'n hewyllys ni, a'i ffyrdd ef yn wahanol i'n ffyrdd ni.

Fe brofwn ni hefyd gyfnodau o gael ein torri a'n gwasgu er mwyn medru symud ymlaen at berthynas ddyfnach â Duw. *'Gwneler dy ewyllys'.*

Y Groesbren

Cawn ein harwain yn naturiol at y digwyddiad yn ystod wythnos olaf bywyd Iesu ar y ddaear hon, digwyddiad unwaith eto â choeden yn rhan ohono. Digwyddiad a newidiodd gwrs hanes y byd. Ar y prynhawn Gwener tywyll hwnnw roedd coeden, coeden mewn siâp croes. Y Groesbren.

Ar fryn y tu allan i'r dref. Tomen sbwriel dinas Jerwsalem. Ar groesffordd mor gosmopolitan fel y bu rhaid iddynt ysgrifennu'r geiriau uwch ei ben ar y groes mewn tair iaith, Hebraeg, Lladin a Groeg. Lle felly oedd Bryn Calfaria. Man lle byddai'r *sinics* yn siarad sbwriel. Man lle byddai'r lladron yn ei gasáu, a'r milwyr yn gamblo. Man felly oedd y man lle lladdwyd Gwaredwr y byd.

Mae'r goeden hon, y goeden olaf hon, ar Fryn Calfaria'n cynrychiolli pinacl holl waith Iesu Grist ar y ddaear hon, ac yn ganlyniad i'w ufudd-dod llwyr i ewyllys Duw. Mae'r groes yn arwydd o aberth.

Meddai David Watson *'Mae'r groes yn ddarlun o derfysg, ac eto'n allwedd i heddwch. Yn ddarlun o ddioddefaint, ac eto'n allwedd i iachâd. Yn ddarlun o farwolaeth, ond yn allwedd i fywyd.'*

Coed

Do, fe chwaraeodd y Palmwydd, y Ffigysbren a'r coed Olewydd eu rhan yn nrama wythnos olaf bywyd Iesu Grist ar y ddaear hon, ond am y groesbren, fe fydd hon yn parhau ar ei thraed ym mywydau plant Duw tra bydd amser.

Pan fydd y palmwydd, a'r ffigysbren a'r olewydd wedi gwywo, eu dail yn grin, breichiau eu brigau'n wan a'u gwreiddiau wedi colli'u nerth, fe fydd pren croes Calfaria'n sefyll yn uchel, tra bydd rhai, fel chi a fi, yn parhau i ryfeddu at gariad Duw atom. Ac wrth ryfeddu, addoli, ac wrth addoli, gorfoleddu. Amen.

Cymun Sul y Pasg

'Dewch i weld y man lle y bu'n gorwedd' *Mathew 28:6*

Ar y trydydd dydd wedi marwolaeth Iesu, ymwelodd Mair a Mair Magdalene ar doriad gwawr, ac yn eu hiraeth mawr, â'i fedd er mwyn eneinio'i gorff. Er mawr syndod iddynt, ymddangosodd angel a chawsant ofn mawr. Ond meddai'r angel, *'Peidiwch chwi ag ofni. Gwn mai ceisio Iesu a groeshoeliwyd yr ydych. Nid yw ef yma, oherwydd y mae wedi ei gyfodi ... dewch i weld y man lle y bu'n gorwedd'* (Mathew 28:5–6).

A dyna neges y Pasg, mewn un frawddeg, mewn un adnod, yn wir, mewn dau air, *'dewch'* a *'gweld'*. *'Dewch i weld y man lle y BU'N gorwedd.'* Nid y man lle y *'mae'n'* gorwedd, ond y man lle y *'bu'n'* gorwedd. Nid yw'n gorwedd yno mwyach.

Mae'r geiriau *'dewch'* a *'gweld'* yn cario pwysau gorchymyn, ac maent yn ddau air pwysg iawn yn stori'r Pasg.

'Dewch'
Dyma air sy'n ymddangos yn aml yn y Beibl. *'Dewch i'r dyfroedd bawb y mae syched arno... Dewch heb oedi...'* meddai'r Salmydd. Ac rydym yn clywed y gair yma'n aml ar wefusau Iesu, *'Dewch ar fy ôl i ...'* Ceir gwahoddiad yma gan yr angel. Mae'r angel yn dal i wahodd heddiw, a hynny oherwydd bod cymaint o bethau yn ein bywydau sydd yn ein rhwystro rhag gweld y Pasg, a rhag sylweddoli pwysigrwydd yr ŵyl ryfeddol hon.

Cafodd y gwragedd a ddaeth at y bedd eu rhwystro hefyd rhag gweld y Pasg cyntaf. Nid oedd yn hawdd i'r gwragedd ufuddau i gais yr angel i ddod at y bedd. Roedd elfen o ofn yno; wedi'r cwbl, nid mynwent yw'r lle gorau i fynd am dro iddi yn y tywyllwch a'r wawr ar dorri! Roeddent yn nerfus ac yn bryderus.

Ac nid unigrwydd y fynwent oedd yr unig rwystr i'r gwragedd, ond hefyd yr awdurdodau. Roedd y ddwy ohonynt wedi dod i eneinio corff

Iesu, ond roedd ei fedd wedi'i selio â sêl yr Ymerodraeth Rufeinig, yr Ymerodraeth fwyaf pwerus a oedd yn bod yn y byd yn ystod y cyfnod hwn. Roedd y bedd wedi'i selio gan orchymyn y gŵr a chanddo'r awdurdod mwyaf yn ei law, sef Cesar, a'r sêl yn atal unrhyw un rhag cael mynediad i'r bedd. Ac fel pe na bai hynny'n ddigon, roedd y bedd yn cael ei warchod gan filwyr gorau Rhufain – hufen y fyddin Rufeinig oedd y rhain – y gorau. Ni wna milwyr dibrofiad y tro i warchod bedd Gwaredwr y byd. Roedd y rhain yn lladd yn gyntaf, ac yn holi cwestiynau wedyn.

Felly, er mwyn iddynt fedru ufuddhau i'r angel, roedd disgwyl y byddai'r gwragedd hyn yn goresgyn nifer o rwystrau. Ac yn ychwanegol at yr holl bethau hyn, roedd hefyd glamp o faen ar draws mynediad y bedd. Maen a oedd yn pwyso faint, pedair tunnell? Roedd angen symud y maen er mwyn dod at gorff Iesu. A phwy meddech chi oedd yn mynd i symud y maen? Y gwragedd eu hunain? Y milwyr? Ac eto, roedd yr angel yn dal i ddweud *'Dewch'!*

Ac er gwaetha'r holl bethau oedd yn eu ffordd, ac yn eu rhwystro, fe fu'r gwragedd yn ufudd i gais yr angel, ac aethant at y bedd gan dderbyn y gwahoddiad.

Fe ddaw'r un gwahoddiad atom ni yma'r bore hwn, ar fore Sul yr Atgyfodiad. Yr un gwahoddiad a estynnwyd i'r ddwy Fair ar fore'r Pasg cyntaf. *'Dewch.'* Gwahoddiad i ddod at y bedd gwag ac at y Crist byw, gan symud yr holl bethau sydd yn ein rhwystro rhag gweld y bedd gwag. Mae derbyn y gwahoddiad yn gwneud y Pasg yn Basg i ni.

'Gweld'
Os mai'r gair *'Dewch'* yw un o eiriau pwysicaf stori'r Pasg, yr ail air pwysig yn yr hanes, ac yn yr adnod hon, yw'r gair *'Gweld"*. *'Dewch i weld y man lle y bu'n gorwedd.'* Beth sydd i'w *'weld'* yn y *'man'* hwn? Yn un peth, yn y *'man hwn'* fe *welwn* ni ostyngeiddrwydd Iesu Grist. Y peth cyntaf a *welwn* yn y *'man hwn'* oedd y bedd y claddwyd Iesu ynddo. Y man lle bu corff Iesu'n gorwedd am dri diwrnod. Nid y man y gosodwyd unrhyw ddyn ynddo, ond y *'man'* y rhoddwyd corff yr Arglwydd Iesu Grist i orwedd ynddo, y Gwaredwr, yr Achubydd, y Meseia, Mab Duw.

Rhoddodd Duw ei ogoniant o'r neilltu er mwyn dod yn un ohonom ni yn ei Fab Iesu Grist. Daeth Duw yn ddyn a thrigo yn ein plith, a marw'n aberth trosom ar groes Calfaria, ac fe roddwyd ei gorff marw mewn bedd.

Pan welwn ni fedd gwag y Pasg, fe welwn ni ostyngeiddrwydd Crist, ei fod wedi dod yn un ohonom ni, er ei fod erioed ar ffurf Duw. Ac fe welwn gariad Duw'n disgleirio drwy dywyllwch y bedd, a phelydrau goleuni'i gariad yn cyfeirio aton ni, bob un ohonom, yn bersonol.

Yn y 'man' hwn fe welwn hefyd erchyllderau pechod. Nid stori sy'n felys ac yn brydferth i gyd yw stori'r man y claddwyd Iesu ynddo. Rydym ni'n dathlu'i atgyfodiad, ond cofiwn hefyd ei fod wedi'i groeshoelio oherwydd ein drygioni ni. Pan welwn ni'r man y claddwyd Iesu ynddo, fe welwn ni bechod y ddynolryw hefyd.

Dyna reswm dros weinyddu'r Cymun ar fore Sul y Pasg, ond diolch ein bod ni heddiw'n medru edrych ar y groes yng ngoleuni'r bedd gwag.

Bedd Gwag

Mae o'r pwys mwyaf ein bod yn gweld yn y 'man' hwn y rhoddwyd corff Iesu i orwedd ynddo adeg y Pasg cyntaf ostyngeiddrwyd Crist a hefyd ein pechod ni. Yn bwysicach na hynny, hyd yn oed yw gweld yn y 'man' hwn nad oedd Iesu yno. Peidiwn â gadael i unrhyw beth ein hatal ni rhag colli golwg ar y ffaith syfrdanol hon, nac ychwaith golli golwg ar rym y gwirionedd rhyfeddol hwn.

Pan edrychwn ar y bedd rhoddwyd Iesu i orwedd ynddo, fe welwn nad yw Iesu yno. Mae e wedi atgyfodi! Wedi concro marwolaeth! Wedi dryllio pyrth y bedd!

A dyna'r peth mwyaf a welodd y gwragedd wedi iddynt dderbyn gwahoddiad yr angel 'Dewch' i'r 'man' lle y bu'n gorwedd' – gweld nad oedd Iesu yno.

Mae pob cofnod o'r hanes hwn yn yr efengylau gan lygad-dystion, gan haneswyr, er eu bod yn gwahaniaethu mewn manylion bach, yn pwysleisio'r un gwirionedd, 'nid yw Iesu yno, y mae wedi ei gyfodi'.

Mae Crist yn fyw. Nid rhyw ffigur hanesyddol o'r gorffennol pell y cawn ei hanes rhwng cloriau'r Testament Newydd ac y cawn gyfle i'w goffáu wrth fwrdd y Cymun ydyw, ond presenoldeb byw. Crist byw y cawn y cyfle adeg y Pasg i lawenhau yn ei fuddugoliaeth dros angau a'r bedd.

Cymun Sul Cyntaf Awst

Y cwestiwn a fydd ar wefusau pawb yr wythnos hon yw 'Ydych yn mynd i'r 'Steddfod?'. Do, daeth wythnos yr Eisteddfod Genedlaethol a'i chwistrelliad o hwyl a chyffro i lifo drwy wythiennau diwylliannol ein cenedl am haf arall.

Mae'r gair eisteddfod yn air hynod o ddiddorol, ac nid yw'n cael ei gyfieithu i unrhyw iaith arall. Fe fyddwn yn darllen am 'The National *Eisteddfod'* ar dudalennau'r papurau Saesneg yr wythnos hon. Mae dau ystyr i'r gair.

Gorsedd

Yn gyntaf, ystyr gwreiddiol y gair *Eisteddfod* yw lle i eistedd. Eisteddfod. Eisteddfa. Gorsedd neu sedd. Mae'n naturiol ein bod yn cysylltu gorsedd â man lle byddai'r brenin yn eistedd, ac o'r fan honno y byddai'r brenin yn llywodraethu. Ceir cyfeiriad ym mhroffwydoliaeth Eseciel at Dduw yn dweud amdano'i hun, *'Yr wyf yn dduw, ac yn eistedd ar orsedd y duwiau'* (Esecial 28:2), a chofiwn am weledigaeth fawr Eseia pan welodd yr *'Arglwydd yn eistedd ar orsedd uchel, ddyrchafedig, a godre'i wisg yn llenwi'r deml'* (Eseia 6:1) – y ddau gyfeiriad yn sôn am Dduw'n llywodraethu o'r man lle mae'n eistedd. Wrth droi at y Testament Newydd, clywn Mair yn ei hemyn o fawl yn dweud am ddyfodiad yr Arglwydd ei fod yn tynnu *'tywysogion oddi ar eu gorseddau'* (Luc 1: 52).

Mae un o'r enghreifftiau cynharaf sydd gennym o'r gair eisteddfod yn golygu llywodraeth a theyrnasiad yn y Llyfr Gweddi Gyffredin ar ddechrau'r 16 ganrif, sef, *'dy eisteddfod Di sydd yn y nefoedd'*. Tybed a ddefnyddiodd William Williams Pantycelyn y gair eisteddfod yn wreiddiol wrth lunio'i emyn mawr sy'n dyheu am gymundeb personol â Duw; *'ennill it eisteddfa (eisteddfod) dawel, yn y galon garreg hon?*

A dyna i chi eisteddfod fydd honno, pan fydd Duw yn llywodraethu ym mhob calon garreg.

Gŵyl

Ystyr diweddarach y gair *eisteddfod* ydy gŵyl o un neu ragor o gyfarfodydd sy'n ymestyn bellach am wythnos gyfan, a hynny fwy nag unwaith y flwyddyn. Gŵyl lle cynigir gwobrau mewn adrannau gwahanol, cerdd, llefaru, llenyddiaeth, celf a chrefft. Mae'r ŵyl hon fel rydym yn ei deall heddiw'n ŵyl genhadol ac yn ŵyl gymdeithasol.

Mae'n genhadol gan ei bod yn estyn allan ac yn gyfrwng i ddenu pobl o Gymru a thu hwnt i fwynhau diwylliant ein cenedl ar ei orau.

Mae'n gymdeithasol oherwydd bod pobl o bedwar ban ein gwlad a thu hwnt yn dod ynghyd. Mae rhai'n cyfaddef yn gwbl agored eu bod yn dod i'r Eisteddfod am y gymdeithas ar y maes yn unig! Cânt ddileit mawr drwy gerdded y maes. Mae'r gymdeithas yn bwysig iddynt, ac mae'r gymdeithas yn bwysig i ni fel Cristnogion hefyd. Mae cymdeithas yr Eglwys yn hollbwysig. Rydym yn cwrdd o amgylch y bwrdd hwn heddiw fel aelodau o deulu Duw.

Ond er bod yr Eisteddfod yn ŵyl i gymdeithasu ynddi, yn bennaf un, mae'r Eisteddfod yn ŵyl genedlaethol. Gŵyl i'r genedl. Ond beth yw cenedl? Nid gwlad yw cenedl, ac nid talaith, nac ychwaith ddarn o dir ac iddo ffîn ddaearyddol. Pobl sy'n gwneud cenedl, pobl sydd ag atgofion cyffredin a gobeithion cyffredin. Grŵp o bobl sy'n rhannu'r un hanes, yr un traddodiadau, yr un diwylliant a'r un iaith. Pobl sy'n cofio gyda'i gilydd ac yn gobeithio gyda'i gilydd.

Iaith

Ond y perygl yw i atgofion y genedl fynd ar goll, a chyda cholli'r atgofion, colli'r gobeithion. Mae'r perygl hwnnw'n un real iawn oherwydd bod cyfrwng trosglwyddo'r atgofion yn cael ei golli, sef yr iaith. Trwy golli iaith, fe gollir hunaniaeth. Colli iaith, colli 'nabod. Colli 'nabod, colli'n hunain. Ac i 'nabod ein hunain mae'n rhaid cael cof.

Mae gan bob teulu gof, ac mae'n bwysig iawn cadw cof y teulu'n fyw drwy drosglwyddo'r atgofion teuluol o genhedlaeth i genhedlaeth. Mae gan y genedl gof hefyd, a'n cyfrifoldeb ni yw cadw cof y genedl yn fyw *'i'w thraddodi i'm plant, ac i blant fy mhlant, yn dreftadaeth dragwyddol'* (Saunders Lewis). Mae perygl inni golli'r atgofion am y dreftadaeth oherwydd inni golli'r prif gyfrwng rhwng doe ac echdoe'n cenedl, sef ein hiaith. Y cof sydd yn cadw'r cyfrwng hwnnw'n fyw.

Cofio

Mae'n amheus gennyf a oes un gair wedi'i bwysleisio'n fwy yn y Beibl, yn enwedig yn yr Hen Destament, na'r gair cof. Oherwydd stori cenedl yw stori'r Hen Destament. Stori am fintai o gaethion di-nod, dirmygedig, distadl a luniwyd gan Moses yn genedl, a honno'n genedl etholedig Duw. Mae'r genedl yn cael ei rhybuddio drwy'r amser bod angen iddi gofio o ble y daeth, a phwy a'i gwnaeth yn genedl.

Y cof sy'n pontio rhwng ein doe a'n heddiw, yn ddolen gyswllt rhwng ein gorffennol a'n presennol. Y cof sy'n rhoi cyfanrwydd i fywyd. Rydym yn cofio o ble y daethom, a'r cofio hwnnw sy'n rhoi ystyr a diben i'n hyfory.

Daw'r cofio o'r Hen Destament i'r Testmanent Newydd, ac fe'i ceir ar dafod Iesu Grist y nos y bradychwyd ef. Wedi iddo gymryd y bara a'i dorri a'i rannu dywedodd wrth ei ddisgyblion *'gwnewch hyn er cof amdanaf'*. Yna, cymerodd y cwpan wedi swper a dweud wrth ei ddisgyblion i yfed o'r cwpan *er cof* amdano.

A thrwy'r cofio hwn rydym yn dod i wybod pwy ydym – mai pobl Dduw ydym ni, cenedl sanctaidd, ac yn rhai a brynwyd â gwerthfawr waed Crist. Ac o wybod pwy ydym, ein braint a'n cyfrifoldeb yw bod yr hyn y bwriadwyd i ni fod. Ac fe fyddwn felly, pan fyddwn yn caniatáu i Dduw gael eisteddfod ynom. Amen.

Cymun Nadolig

Wrth gwrdd o amgylch Bwrdd yr Arglwydd yn yr oedfa hon, sylwn fod lliain gwyn ar y bwrdd. Mae gwyn yn arwydd o lendid, yn arwydd o fraint – *gwyn dy fyd*, a hefyd yn arwydd o lawenydd – *byd gwyn a phob digonedd*.

Ar y lliain gwyn mae llestri, ac nid rhyw ddanteithion ysmala sydd arnynt ond, yn syml, bara a gwin. Disgrifiwyd yr elfennau hyn gan Charles Wesley fel '*Tokens of his passion*'. Rydym oll yn gyfarwydd â'r gair *tokens* ond beth yn union mae *tokens* yn ei olygu? Ceir tri ystyr i'r gair.

Arwyddion

Yr ystyr cyntaf yw *arwydd* neu *arwyddion*. Mae'r bara a'r gwin yn arwyddion. Swyddogaeth arwydd yw ein cyfeirio at rywbeth neu rywun. Mae arwyddion ffyrdd yn ein cyfeirio at ryw leoedd arbennig. Nid yr arwydd yw'r lle, ond ein cyfeirio i'r lle a wna'r arwydd. Ceir arwyddion hefyd fod pethau'n gwella o ran hinsawdd a thywydd. Y blodau'n dechau tyfu a'r ddaear yn glasu a'r adar yn canu, yn arwyddion fod y gwanwyn ar ddod.

Defnyddir y gair *arwydd* mewn perthynas â Iesu hefyd. Adeg ei enedigaeth, dywedodd yr angylion wrth y bugeiliaid, '*Peidiwch ag ofni, oherwydd wele, yr wyf yn cyhoeddi i chwi y newydd da am lawenydd mawr ... ganwyd i chwi heddiw yn nhref Dafydd, waredwr, yr hwn yw'r Meseia, yr Arglwydd, a dyma'r arwydd i chwi; cewch hyd i'r un bach wedi ei rwymo mewn dillad baban ac yn gorwedd mewn preseb'* (Luc 2:11,12).

Cyfeirir at wyrthiau Iesu fel *arwyddion* hefyd; troi'r dŵr yn win, a '*Gwnaeth Iesu hyn, y cyntaf o'i arwyddion, yng Nghana Galilea..*' (Ioan 2:11).

Ymhlith yr holl arwyddion, arwydd o gariad Duw yng Nghrist yw'r bara a'r gwin hwn heddiw. Yr elfennau naturiol hyn sydd yn cyfeirio ein meddwl a'n calon at ei gariad mawr atom.

Prawf

Ystyr arall i'r gair *tokens* ydy prawf. Diolch am arwyddion o gariad Duw atom, ond diolch mwy am brawf o'r cariad hwnnw. Yr unig ateb i'r cwestiwn am brawf o gariad Duw yw Croes Crist. Ni allwn weld Crist ar ei groes heb weld Duw yno hefyd. Byddai'r groes heb Dduw'n gwneud Iesu'n ddim byd mwy nag un merthyr Cristnogol ymhlith nifer. Ond mae gweld Duw ar y groes yn gwneud Iesu'n Waredwr, a'r unig Waredwr.

Prawf o'i gariad dioddefus trosom ni yw'r bara a'r gwin hwn heddiw. *'Yn hyn y dangoswyd cariad Duw tuag atom, bod Duw wedi anfon ei unig Fab i'r byd er mwyn i ni gael byw drwyddo ef'* (1 Ioan 4:9). Prawf o hynny yw'r bara a'r gwin sydd o'n blaen ni heddiw. Cymerwch, bwytewch, yfwn o hwn. Dyma'r prawf.

Rhodd

Ystyr arall y gair *tokens* yw rhodd. Mae'n dymor y rhoddion. Ond, pryd mae rhodd yn rhodd? Ai pan fydd yn cael ei rhoi? Mae'n amlwg na ellir cael rhodd heb fod rhywun yn ei rhoi, ond nid yw ei rhoi yn unig yn ddigon ychwaith, oherwydd mae'n rhaid iddi gael ei derbyn hefyd.

Ac yn fwy na hynny hyd yn oed, os yw rhodd yn rhodd mewn gwirionedd, mae'n ofynnol bod yr hyn a roddir nid yn unig yn cael ei dderbyn, ond hefyd yn cwrdd ag angen y sawl sy'n ei dderbyn.

Adeg y rhoi a'r derbyn yw'r Nadolig, oherwydd mai adeg dathlu geni Ceidwad ydyw. Bydd llawer iawn o roddion yn cael eu rhoi'r Nadolig hwn, fel pob Nadolig arall, na fydd yn cwrdd ag angen y sawl a fydd yn eu derbyn. Ond i ni, y bara a'r gwin hwn sy'n arwyddion ac yn brawf o gariad Duw. Mae Duw'n gwybod yn iawn am ein hangen am Waredwr ac Achubydd. I gyfarfod â'r angen hwnnw y rhoddodd ei unig-anedig Fab, Iesu Grist.

Gallwn wrthod y rhodd hon o ddwylo Duw os ydym yn dymuno hynny. Ond o'i gwrthod, rydym yn amddifadu ein hunain o orfoledd y bywyd yng Nghrist. Ond o'i derbyn, deuwn i wybod am y gorfoledd hwnnw, ac am y llawenydd na all y byd ar ei orau'i roi i ni, ac ar ei waethaf ei ddwyn oddi arnom.

'ei ras O derbyniwn, ei haeddiant cyhoeddwn,
a throsto ef gweithiwn i gyd.' Amen